IN DE STORM VAN DIT LEVEN

J.F. van der Poel

In de storm van dit leven

Citerreeks

Van J.F. van der Poel verscheen eerder:

Een leugenkind
In het web van een loverboy
Moeders jeugdliefde
Jaloezie doet pijn
De belofte

© 2007 Citerreeks, Kampen
Omslagillustratie Kees van Scherpenzeel
Omslagontwerp Van Soelen Reclame
ISBN 978 90 5977 243 4
NUR 344

www.citerreeks.nl

Namen van personen in dit boek:

Evert Schilder	man van Suze
Suze Schilder	vrouw van Evert
Tanja Schilder	dochtertje van Suze en Evert
Hans Verschoon	broer van Suze
Dokter Hanga	arts in een Duits ziekenhuis
Rita	buurvrouw van Suze en Evert
Jan	buurman van Suze en Evert
Irma	verpleegkundige in een Duits ziekenhuis
Dominee Handel	predikant in een Duits ziekenhuis
Frits	man met zijn accordeon
Gisela	vriendin van Irma
Hanna	vriendin van Irma
Sientje	oude vriendin van Hans

1

Het is een warme zomerse nacht als Evert Schilder opstaat. Hij gaat naar beneden en pakt een fles wijn en gaat op de bank in de kamer zitten.

Hij heeft een vermoeiende dag achter de rug als timmerman in de bouw. Hij heeft de hele dag in de hete zon op de steiger gestaan van een appartement in aanbouw. Hij kon niet in slaap komen, dan pakt hij meestal de fles. Veelal is het bier, maar dat heeft hij gisteravond al opgedronken, er is geen flesje meer in huis. Hij neemt nog een flinke slok uit de fles en kijkt dan naar de monitor van zijn computer. Hij staat op en gaat achter de computer zitten en zet hem aan. Hij drukt wat toetsen in, dan zijn daar de beelden. Hij voelt de dwang naar de begeerte van de zonde die hij zelf de baas niet meer is. De beelden geven hem voldoening en vooral als hij sterke drank op heeft. Hij weet wel waarom hij niet in slaap kon komen. Het is niet alleen de warme nacht, maar ook de beelden die vast op zijn netvlies zitten. Als hij zo'n half uur bezig is, dan is er een stem achter hem: 'Maar Evert… Evert… waarom…?'

Evert draait zich om en ziet zijn vrouw achter hem staan in haar nachtjapon.

Suze, zijn vrouw, loopt naar de computer en drukt hem uit.

Evert kijkt haar met grote wilde ogen aan en schreeuwt: 'Waar bemoei jij je mee!'

'Maar Evert… waarom kijk je midden in de nacht naar zulke vreselijke beelden…?' vraagt Suze op een wat angstige toon.

'Omdat jij daar te dom voor bent!' schreeuwt Evert.

'Nee Evert, jij bent goed verkeerd bezig…' snikt Suze overstuur.

'Laat mij niet lachen, preuts wijf!' schreeuwt Evert terug.

'Jij weet niet waar je mee bezig bent... o wat erg... Waarom Evert... je doet mij zo'n pijn...' snikt Suze.

'Ik jou pijn doen... mens je weet niet wat voor een leven ik bij jou heb. Ik werk mij de hele dag kapot en voor de rest moet ik maar zien. Je wilt geen tv in huis, dat is volgens jou en de kerk zondig!' roept Evert driftig terwijl hij opstaat.

'Maar dat wil je zelf toch ook niet... het is toch niet goed om tv te kijken, dat hebben we toch samen besproken,' antwoordt Suze terwijl ze haar tranen droogt.

'Ach mens, je weet niet waar je het over hebt!'

'Dat weet ik heel goed Evert... jij hebt niet genoeg aan je vrouw... je gaat midden in de nacht naar die vreselijke beelden kijken op de computer!' schreeuwt Suze nu kwaad terug.

'Dat is je eigen schuld.'

'Hoezo?'

'Je gunt mij helemaal niks. De tv moest de deur uit omdat er volgens jou allemaal zondige dingen op te zien zijn.'

'Dat is toch zo.'

'Ga nou maar naar bed en laat mij met rust!'

'Nee, Evert... je hebt heel wat uit te leggen.'

'Wat heb ik uit te leggen!'

'Je staat midden in de nacht op en gaat achter de computer zitten.'

'Ik kon niet slapen.'

'Dan ga je niet naar zulke vreselijke beelden kijken.'

'Dat ging per ongeluk,' probeert Evert eronderuit te komen.

'Je liegt. Je weet heel goed hoe dat programma werkt op de computer.'

'Dus je gelooft mij niet?'

'Nee...' snikt Suze opnieuw.

'Dan moet die computer ook maar de deur uit, net als de tv!' schreeuwt Evert kwaad.

'Als je op deze manier de computer gebruikt, dan kun je

hem beter niet gebruiken. Je bent verkeerd bezig en maakt er misbruik van.'

Evert neemt een flinke slok wijn uit de fles en kijkt Suze wild aan. Dan gaat hij recht voor haar staan en vraagt: 'Wie is hier eigenlijk de baas?'

'Daar gaat het niet om... je bent vreselijk bezig en je moet niet zo veel drinken.'

'Ik mag geen tv in huis en nu mag ik ook al niet meer achter de computer en ik drink te veel... weet je wat... ik zal jou eens wat zeggen!' roept Evert. Hij pakt de computer met beide handen beet en smijt hem tegen een van de muren van de kamer. Gelijk pakt hij ook de monitor en die gaat dezelfde richting op.

'Hier heb jij je computer!'

'Maar Evert... Evert...?'

'Niks Evert, maak dat je boven komt anders doe ik je nog wat aan,' zegt Evert terwijl hij de lege fles opheft naar haar.

'Nee, Evert... Evert je bent overstuur,' roept Suze angstig.

'Jij met je de baas spelen over mij... ik zal je leren!' Evert pakt haar beet en slaat haar met de lege fles op het hoofd.

Suze zakt in elkaar. Evert wordt van schrik nuchter als hij Suze met haar hoofd bloedend op de grond ziet liggen.

Dan is daar een kinderstemmetje: 'Papa... papa mag mama niet slaan,' zegt zijn dochtertje Tanja terwijl ze neerhurkt bij haar moeder en huilt en snikt: 'Mama... mama.'

Evert holt naar de slaapkamer en trekt snel een overhemd, een broek en schoenen aan en rent dan de deur uit.

Suze ligt nog steeds bloedend op de grond.

De kleine Tanja van vijf jaar rent haar vader achterna en roept: 'Papa... Papa, mama gaat dood!'

Als haar vader de hoek van de straat om is, rent de kleine Tanja terug naar huis, naar haar moeder die nog steeds op de vloer ligt. Tanja gaat opnieuw op haar hurken bij haar zitten en snikt: Mama… mama, u mag niet dood gaan.'

Dan opent Suze haar ogen en kijkt in de betraande ogen van haar dochtertje.

'Mama… mama, papa is boos weggelopen…'

Suze probeert op te staan, maar zakt opnieuw door haar knieën. Ze is erg duizelig.

'Mama… mama niet dood gaan…' snikt Tanja opnieuw.

'Nee… lieverd,' zegt Suze met een zachte stem.

Dan is er een vrouwenstem bij de deur die nog steeds openstaat.

'Wat is hier gebeurd?'

'Buurvrouw… mama gaat dood…' snikt de kleine Tanja.

'Wat is hier gebeurd?' vraagt de buurvrouw opnieuw verschrikt als ze Suze op de grond ziet liggen met een bloedend hoofd.

Ze gaat snel op haar knieën bij haar zitten en schudt Suze, die weer weggeraakt is, voorzichtig heen en weer.

Suze opent haar ogen.

'Wat is er gebeurd, Suze?'

Suze geeft geen antwoord, er staan tranen in haar ogen.

De buurvrouw loopt naar de keuken en maakt een handdoek nat. Ze maakt haar voorhoofd en polsen nat. Daarna maakt ze ook de wond op haar hoofd, die niet meer bloedt, voorzichtig schoon.

'Probeer op te staan,' zegt de buurvrouw, maar dat lukt niet.

'Wacht, ik zal mijn man even roepen.' Ze rent terug en komt even later met haar man terug.

'Wat is hier aan de hand?' vraagt hij verbaasd als hij Suze op de grond ziet liggen met een kapotte wijnfles naast haar.

'Klets nou maar niet en laten we proberen haar op de bank te leggen.'

Voorzichtig pakken ze Suze op en leggen haar op de bank.

De buurman kijkt zijn vrouw aan en vraagt opnieuw: 'Wat

is hier gebeurd... moet je die computer en die monitor zien liggen daar bij de muur... die is tegen de muur gesmeten als ik het zo bekijk.'

'Daar ben ik wakker van geworden,' antwoordt zijn vrouw. 'Waar is Evert?'

'Dat weet ik ook niet... de deur stond open en ik vond haar bloedend op de grond,' antwoordt Rita, de buurvrouw. 'Kijk ze komt alweer bij.'

'Gaat het Suze?'

Suze geeft geen antwoordt en kijkt nu wild om haar heen, voelt aan haar hoofd en vraagt: 'Wat is er gebeurd... waar is Evert?'

'Papa is weggelopen... hij is boos en heeft u geslagen met de fles,' zegt de kleine Tanja.

'Dus ze heeft het gezien,' zegt de buurvrouw tegen haar man.

'Zal ik de dokter of de politie bellen?'

'Nee... niet doen,' antwoordt Suze angstig.

'Maar kind... een man die je zo toetakelt is gevaarlijk en moet je daar die computer zien liggen. Wilde hij die ook naar je hoofd gooien?' vraagt buurman.

'Nee... nee het gaat wel weer,' zegt Suze terwijl ze wat rechtop gaat zitten.

'Toch lijkt het mij verstandig om er een dokter naar te laten kijken. Misschien zitten er wel glasscherven in je hoofd. Die fles heeft hij op je hoofd kapotgeslagen,' zegt Jan, de buurman.

'Nee... ze heeft gelijk. Als er een dokter bij komt, dan moet ze alles uitleggen en wordt het politiewerk, dat moeten we niet hebben,' zeg Rita tegen haar man.

'Drink eerst maar wat,' zegt Rita terwijl ze Suze een glas water geeft.

'Weet je niet waar Evert heen is gegaan?'

Suze schudt haar hoofd.

'Ach, die komt wel weer terug. In elk gezin komt wel eens ruzie voor moet je maar denken,' zegt Rita troostend.

Dan laat Suze haar tranen de vrije loop en snikt: 'Evert is anders nooit zo... hij heeft te veel gedronken... en...'

'Ach kind, je kunt beter niks zeggen, later heb je er spijt van,' zegt Rita.

Tanja gaat voor haar moeder staan en vraagt: 'Komt papa weer naar huis?'

Suze knikt.

'Papa moet weg blijven...'

'Waarom lieverd?' vraagt Rita, terwijl ze Tanja over haar lange donkere haar aait.

'Papa slaat mama met fles...'

'Dat heeft papa per ongeluk gedaan.'

'Nee... hij heeft ook de computer kapotgegooid tegen de muur... papa was boos op mama...'

'Zal ik jou naar bed brengen lieverd?' vraagt de buurvrouw aan Tanja.

'Nee, ik blijf bij mama... als papa weer terugkomt... dan...' snikt Tanja.

'Papa is niet boos meer als hij terugkomt, dan heeft hij er spijt van,' zegt de buurvrouw.

'Echt waar mama?'

Suze knikt.

'Zal ik nog eens naar de wond op je hoofd kijken Suze?' vraagt Rita, die verpleegster is geweest.

Rita bekijkt de wond voorzichtig en zegt: 'Het lijkt mij verstandig dat je even met mijn man naar de poli gaat. Misschien zitten er wat glasscherven in en moet de wond gehecht worden.'

'Maar als ze vragen stellen?'

'Dan zeg je maar dat je met een fles in je hand gevallen bent en dat hij op je hoofd terechtkwam,' antwoordt Rita.

Als Jan terugkomt van de poli vraagt zijn vrouw: 'Is het mee-gevallen?'

'Ja, ze heeft alleen een hechtpleister op haar hoofd gekre-gen,' antwoordt haar man, die Suze naar de poli heeft gere-den.

'Je kunt Tanja vandaag beter thuis laten van school.'

'Zou u dan voor mij willen bellen naar de school... als ze soms vragen gaan stellen,' zegt Suze wat verlegen.

'Geef mij het telefoonnummer van de school maar,' ant-woordt Rita.

Als de buurman weg is en ook even later de buurvrouw weg wil gaan, begint Suze te huilen. Rita, die al op middel-bare leeftijd is, gaat naast haar op de bank zitten en houdt haar hand vast en zegt: 'Je moet nu flink zijn, Suze, en een moeder voor je dochtertje proberen te zijn.'

'Maar het is allemaal mijn eigen schuld...'

'Wie praat er nou over schuld?'

'Ik ben niet eerlijk geweest tegen Evert...'

'Waarom niet?'

'Ik heb alleen maar aan mijzelf gedacht... Evert is heel anders thuis opgevoed... ik bedoel niet kerkelijk...'

'O... dat wist ik niet. Jullie gaan toch allemaal elke zondag naar de kerk?'

'Ja dat wel... hij heeft het mij beloofd toen wij gingen trouwen... toch heeft hij er moeite mee gehad en hij had het moeilijk met het geloof...'

'Wat houdt dat in Suze?'

'Nou ja...'

'Zeg het maar gerust.'

'Hij wilde de laatste tijd graag tv in huis en daar ben ik op tegen.'

'En dat heeft hij aanvaard?'

'Ja, we hebben er samen over gesproken... hij gaat de laat-ste tijd vaak bij zijn moeder tv kijken.'

'En dat vind je niet erg?'

'In het begin wel. Zijn ouders werden kwaad op mij en zover wilde ik het niet laten komen…' antwoordt Suze met een zucht.

'Wat is er verkeerd aan tv, Suze?'

'Er komt alleen maar rommel en ellende op.'

'Dat niet alleen. Er zijn ook goede programma's. En ook het nieuws.'

'Ik wil de ellende van de wereld niet in mijn huiskamer. Het is allemaal bedrog en ellende. Bij ons thuis hebben wij ook nooit tv gehad.'

'Heb je nooit tv gekeken?'

'Nou ja…'

'Zeg het maar eerlijk.'

'Bij Evert stond dat ding de hele dag en avond aan. Ze stonden ermee op en gingen ermee naar bed,' antwoordt Suze.

'Dus als je bij Evert thuis was, dan moest je wel kijken?'

'Ja, dat wel.'

'En als kind?'

'Ik zeg toch dat wij thuis geen tv hadden.'

'Dus je ging nooit bij je vriendinnen tv kijken of zo?'

'Soms wel…'

'Wist jij dat Tanja vaak bij ons tv wil kijken? Ze vindt de kinderprogramma's leuk. Het is heel onschuldig. Wist je daarvan Suze?'

'Ja… ze heeft het mij wel eens verteld en vroeg dan vaak waarom wij geen tv hadden.'

'Dat is zondig en mag niet, zeg jij dan?'

'Ja…'

'Tanja heeft het mij gevraagd of het zondig is,' zegt de buurvrouw.

'Toch is het niet goed… van onze kerk heeft niemand tv.'

'Geloof jij het?'

'Daar kan ik niet over oordelen.'

'Dus je weet wel beter?'

Suze buigt haar hoofd en geeft geen antwoord.

'Wat vind jij dan van een computer in huis met internet en zo?'

'Daar kunnen we niet meer zonder tegenwoordig,' antwoordt Suze.

'Nou wij wel, wij hebben zo'n ding niet nodig, mijn man en ik beginnen daar niet meer aan.'

'U kunt toch les nemen en ik wil jullie er wel bij helpen,' antwoordt Suze.

'Houdt er maar over op, mijn zoon heeft het zo vaak over een computer. Wij moeten nodig zo'n ding kopen. Je kunt ermee bankieren en weet ik wat al niet meer. Hij heeft geprobeerd bij hem thuis het aan mijn man te leren, die kreeg er wat van. Nee dat is niks voor oudere mensen.'

'Toch kunnen we bijna niet meer zonder,' houdt Suze vol.

'Dat zal wel meevallen,' zegt Rita, terwijl ze naar de muur kijkt waar de computer en de monitor in stukken liggen.

'Dus jij denkt dat je met een tv meer kwaad in huis haalt dan met zo'n computer?'

'Een computer kun je afschermen met een filter.'

'En lukt dat nogal?'

Dan houdt Suze haar hand voor haar gezicht en ziet ze al die smerige beelden van vannacht voor zich waar haar eigen man Evert naar keek.

'Het is niet goed…'

'Ik begrijp het… je moet ook een beetje begrip hebben voor je man en kind.'

'Het is allemaal mijn schuld…' snikt Suze.

'Zo bedoel ik het niet. Evert heeft ook zijn fouten, bij ons gaat het ook vaak fout. Ik kijk graag naar medische programma's, maar mijn man is verslaafd aan voetbal op tv, nou, dan is het wel eens goed mis bij ons thuis en dan zou ik haast de tv tegen de muur smijten,' zegt Rita wat fel.

Dan komt Tanja naar haar moeder en vraagt: 'Mam... wanneer komt papa weer terug?'

'Dat weet ik niet...'

'Papa was erg boos... ook op de computer. Krijgen we nu een nieuwe computer en ook een waar je tv op kunt kijken?'

'Op een computer kun je geen tv zien,' antwoordt Suze.

'Wel waar... papa kijkt wel eens naar tv op de computer.'

Suze geeft geen antwoord en slaakt een diepe zucht.

2

Evert rent die nacht de straat uit. Hij kijkt angstig om zich heen en hoort nog steeds het kinderstemmetje roepen: 'Papaaa…!'

Hij is op de vlucht, maar waar moet hij heen vluchten… Nee, zijn auto staat nog in de garage… hij durft niet terug te gaan. Hij heeft alleen zijn broek, overhemd en schoenen aan.

Hij is buiten adem en loopt verder tot hij het geluid van een trein hoort. Hij rent weer verder richting dat geluid. Zo komt hij op het station en stapt in een intercity. Er zitten die nacht weinig mensen in de trein. Hij hoort wat jongelui die wat gedronken hebben, rumoerig doen.

Hij voelt in zijn zakken en schrikt. Geen geld…hij heeft helemaal niks bij zich. Ja, een paar losse euro's in zijn achterzak. Als zo de conducteur komt… Waar maakt hij zich druk om… hij is immers op de vlucht… waarvoor?'

Hij laat zijn hoofd zakken en snikt zachtjes. O… wat heeft hij gedaan… zijn eigen vrouw… ze kan wel dood zijn… Moet hij niet terug, zal hij bellen als zo de trein stopt en vragen hoe het met haar gaat… nee, dat kan niet, maar zijn dochtertje Tanja dan…?

Dan is er een mannenstem die vraagt: 'Voelt u zich niet goed?'

'O… nee…' Het is de conducteur van de trein.

'Zeker ook te diep in het glaasje gekeken?'

'Nou ja ik…'

Dan ziet de conducteur tranen over zijn wangen lopen en vraagt: 'Kan ik u ergens mee helpen?' De conducteur merkt dat deze man erg overstuur is.

'Nee, ik…' verder komt Evert niet. Hij huilt zachtjes.

De conducteur loopt door en schudt zijn hoofd en denkt: Weer zo'n man die voor zichzelf op de vlucht is. Evert haalt een zakdoek uit zijn broekzak en veegt zijn tranen weg. Hij kijkt uit het raampje, maar ziet niet veel in het donker. Ze rijden dwars door een natuurgebied. Hij ziet in het raam de spiegeling van zijn gezicht. Hij durft niet meer te kijken, hij is bang voor zijn eigen spiegelbeeld in dat raam.

Hij gaat voorover zitten en ondersteunt zijn hoofd. De beelden van zijn computer die op de monitor kwamen... hij wilde steeds meer van die beelden zien... dan was daar de stem van zijn vrouw Suze en van zijn dochtertje Tanja: 'Papa... papa, mama gaat dood... Nee...' Hij houdt zijn handen voor zijn gezicht. Hij kan het wel uitschreeuwen...

Ja, hij is op de vlucht voor zichzelf. Hij heeft het zichzelf aangedaan. Hij had geen plezier meer in zijn leven. Steeds datzelfde ritme elke dag. Op zijn werk als timmerman in de bouw vonden ze hem ook een stille, schuchtere man. Veel vrienden had hij niet meer, dan zat hij thuis... de krant lezen en wat slapen in zijn stoel. Hij was vroeger anders gewend. Dan zat hij vaak de hele avond voor de tv of achter zijn computer, maar hij ging van een meisje houden van een kerk. Hij kreeg een ander levenspatroon opgedrongen.

In het begin kon hij ermee leven. Hij hield veel van zijn Suze en toen kregen ze een dochtertje, Tanja. Ze waren een gelukkig gezinnetje. Hij was trots als vader en ging trouw naar de kerk, maar toen ging hij drinken uit verveling en zijn computer gebruikte hij niet alleen voor zijn studie uitvoerder in de bouw. Een stemmetje wist hem terug te brengen naar vroeger... waarom mocht hij geen tv in huis. Hij heeft er vaak met Suze over gesproken, maar ze wist hem als christen erop te wijzen dat tv niet goed zou zijn voor zijn ziel.

Hij viel vaak achter zijn krant in slaap en het contact met zijn vrouw en dochter werd steeds minder. Ze gingen vroeg naar bed. Hij stond dan vaak op als hij zeker wist dat Suze al sliep. Hij kreeg dat stemmetje in hem niet tot zwijgen. Hij dronk zich dan eerst moed in en ging achter zijn computer zitten en zocht opnieuw de beelden op die hem bevredigden... Hij was geestelijk ziek en leefde in een wereld voor zichzelf. Hij werd steeds eenzamer. Suze vroeg hem vaak naar zijn werk. Ze mocht niet zeuren en Tanja, zijn dochtertje, wilde met hem spelen zoals vroeger toen hij nog een echte trotse vader was voor zijn kind. Eigenlijk werd hij een vreemdeling in zijn eigen huis. Hij moest eens met de huisarts gaan praten zei Suze vaak, maar dan werd hij opstandig en ging de hele avond bij zijn ouders tv kijken.

Zijn ouders gingen praten met Suze, maar hij kwam dan zelf toch weer op voor zijn vrouw en kind. Hij ging dan weer trouw naar de kerk en beloofde te leven zoals het een christen behoort, maar in hem was iets dat sterker was dan hijzelf. Dat stemmetje... soms had hij spijt en huilde eenzaam als een kind die er met niemand over kon praten. Maar steeds opnieuw moest hij vechten. Suze vroeg hem vaak of hij moeilijkheden had op zijn werk. Zij merkte ook wel dat hij niet meer de man was waar ze mee getrouwd was. Het liep vooral hoog op als ze ruzie kregen om een tv te kopen. Hij kon niet zonder en kroop dan maar achter zijn pc. Als Suze in de kamer was deed hij er wat spelletjes op of zocht wat op over zijn studie voor uitvoerder, maar hij moest niet alleen zijn met zijn pc, dan werd dat stemmetje hem de baas. Zijn vingers gingen dan als vanzelf over het toetsenbord en hij klikte met de muis van zijn pc naar beelden die niet goed voor hem waren.

Het werd zo erg dat hij er vaak 's nachts voor opstond.

De intercity raast voort in de nacht. Hij kijkt opnieuw in het raam naar zijn spiegelbeeld en laat dan opnieuw zijn hoofd zakken. Het lijkt allemaal een droom, een soort nachtmerrie... Hij is toch echt op de vlucht; was het maar een droom. Hij heeft zijn eigen vrouw met een fles op haar hoofd geslagen... hij is een moordenaar... hoe kon het zover met hem komen. Hij is een eenvoudig timmerman. Hij heeft weinig scholing gehad en werkte al jong in de bouw als timmerman. Hij was een goede vakman, net als zijn vader. Toen hij Suze leerde kennen, werkte ze op kantoor. Ze was meer ontwikkeld dan hij. Zij leerde hem goed met de computer omgaan. Ze had er veel verstand van. Zij werkte er dagelijks mee op kantoor. Ze gebruikte moeilijke woorden over de pc, hij kon ze zelf niet eens uitspreken, maar hij was wel handig met het zoeken naar informatie op de computer. Vooral de nieuwsgierigheid ging het bij hem winnen, wat had hij aan al die andere programma's. Wat zijn studie betreft kon hij niet zoveel vinden op de pc.

Suze deed alle bankzaken op hun pc en nog meer ingewikkelde zaken, zijn belangstelling ging daar niet naar uit. Suze deed ook de administratie voor hun gezin. Ze werkte nog een paar dagen op kantoor. De buurvrouw zorgde dan voor hun dochtertje Tanja als ze uit school kwam. Hij had een lieve vrouw en lief dochtertje... Waarom moest hij zover gaan...? Kwam het door het geloof en de kerk...? Bij hen thuis deden ze nergens aan. Hij was dan ook heel anders opgevoed, maar koos toch voor Suze, die echt in God geloofde. Ze sprak er in het begin vaak over met hem. Hij ging dan ook mee naar de bijbelkring door de weeks. Zo leerde hij veel over de Bijbel. Toch kon hij er niet zo over praten als Suze, zijn vrouw. Vooral de laatste tijd niet meer. Hij ging niet meer naar die bijeenkomsten en kreeg zo ook een keer in de week vrij spel op zijn pc. Toch was er vaak dat schuldgevoel als hij weer bezig was op zijn pc en zijn begeerte uitleefde.

Kon hij er maar met iemand over praten... Het is nu allemaal te laat. Suze heeft vaak genoeg gevraagd waarom hij de laatste tijd zo stil was en vaak naar zijn ouders ging. Dan begon hij er vaak weer opnieuw over om een tv aan te schaffen. Suze zei dan dat het niet kon omdat het tegen haar principe is. Ook de kerk zou er zeker wat van zeggen. Hij kon maar niet begrijpen wat er mis was aan tv kijken. Suze kon niet zonder pc, zij was er thuis mee opgegroeid, net zoals hij thuis met tv. Ze hadden thuis wel een pc, maar geen internet. Hij kocht wel eens een dvd en keek dan naar een film. Het was niet zo erg als waar hij nu mee bezig was via internet. Internet heeft hem echt kapotgemaakt. Hij zocht de verkeerde wereld op internet. Suze gebruikte internet zoals het bedoeld was. Zij had niet die behoefte die bij hem naar boven kwam. Ze heeft hem dan ook altijd vertrouwd als hij op hun pc bezig was, totdat het een paar keer verkeerd ging en vannacht de bom barstte. Hij heeft zijn hele huwelijk op het spel gezet, net als iemand die verslaafd was aan drugs. Hij ging ermee door. Het was hem de baas en hij ging daardoor ook meer sterke drank gebruiken. Zo was hij een slaaf geworden van een stom ding.

De trein raast voort, vliegt veel stations voorbij en stopt maar op een paar grote plaatsen.

Ja... hij zit in een nachttrein maar waar gaat hij heen... Hij is op de vlucht maar wat maakt het uit voor hem. Hij is de moordenaar van zijn eigen vrouw... moest hij wel vluchten... had hij niet beter zijn vrouw kunnen helpen en er een arts bij moeten halen en gewoon alles moeten bekennen... Maar moordenaars gaan altijd op de vlucht... Is hij dan een moordenaar... Heeft hij zijn vrouw en de moeder van zijn kind... nee. Opnieuw lopen er tranen over zijn wangen en laat hij zijn hoofd zakken.

Dan hoort hij Duits spreken en opnieuw komt er een conducteur naar hem toe. Het is nu een vrouw en ze spreekt hem in het Duits aan. Ze vraagt hem naar zijn treinkaartje.

'Ik heb er geen... vergeten,' stottert Evert, terwijl hij snel met de rug van zijn hand zijn tranen wegveegt.

De vrouw kijkt hem zwijgend aan. Evert voelt opnieuw in zijn broekzakken en achterzak. Hij kan alleen maar een paar munten laten zien en zegt: 'Meer heb ik niet.'

'Dan moet u er de volgende halte uit en krijgt u een boete.'

'Maar ik heb geen geld...'

Dan stopt plotseling de trein en de vrouwelijke conducteur zegt: 'Ik kom zo bij u terug.'

Evert staat snel op en loopt door het smalle gangetje van de trein en stapt uit. Er zijn weinig mensen op het perron. Hij merkt dat hij hier in Duitsland is door de plaatsnaam die op het bordje van het station staat.

Evert loopt snel het perron af en komt in een middelgrote stad in Duitsland. Het is nog vroeg op zaterdagmorgen. Er lopen veel jongelui rond die uit een kroeg komen.

Waar moet hij heen... alles is hier vreemd voor hem. Hij weet zelfs niet waar hij in Duitsland is. Hij heeft geen geld om naar huis te bellen. Trouwens, zou hij dat wel durven?

Dan komen er een paar jongens op hem af en spreken hem in het Duits aan.

'Hé, kerel, heb je wat geld voor ons?'

Evert antwoordt in gebrekkig Duits dat hij geen geld heeft. Dan loopt een van de jongens op hem af. Het is een grote, stevige jongen. Hij pakt Evert bij zijn arm, kijkt hem wild aan en schreeuwt: 'Moet ik eerst je botten breken!'

Evert voelt dat hij in gevaar is en merkt dat ze te veel hebben gedronken. Hij rukt zich los en zet het op een lopen. Maar hij is thuis met zijn blote voeten in zijn schoenen gestapt en dat loopt niet zo makkelijk. Al snel heeft een van de jongens hem ingehaald en laat hem struikelen. Hij valt op de grond. De grote, brede jongen pakt hem bij zijn nek en geeft hem met de andere vuist een klap in zijn gezicht.

Evert slaat achterover en probeert overeind te komen, dan zijn ook de anderen bij hem. Een van hen geeft hem een trap tegen zijn buik en dan beginnen ze hem alle drie te trappen waar ze hem maar raken kunnen. Evert schreeuwt om hulp.

'Het is nog een Hollandse kaaskop ook. Laten we die kaaskop een kopje kleiner maken!' schreeuwt een van hen.

Als Evert opnieuw overeind wil komen krijgt hij weer een trap tegen zijn hoofd.

Nu blijft hij stil liggen. De jongens, die te veel hebben gedronken en erg agressief zijn nu het om een buitenlander gaat, trappen hem nog een paar keer waar ze hem maar raken kunnen. Ook zijn hoofd moet het erg ontgelden.

Dan roept een man uit een van de ramen van de omringende huizen: 'Laat die man met rust, zijn jullie helemaal gek geworden!'

De jongens kijken naar de man die boven hen uit het raam hangt en roepen: 'Kom maar naar beneden als je durft!'

'Wacht, ik ga de politie bellen!' zegt de man terwijl hij het raam sluit.

De jongens rennen snel weg. Dan komt er een politiewagen aan met loeiende sirene en deze stopt op de plaats waar Evert ligt. De man die de politie heeft gebeld loopt naar de agenten en verteld wat hij gezien heeft. Een van de agenten gaat op zijn knieën bij Evert zitten en tikt hem een paar keer op zijn wang. Maar er komt geen beweging in Evert.

'Dat ziet er niet best uit. Er komt ook bloed uit zijn mond,' zegt een van de agenten.

'Bel een ambulance,' zegt de andere agent.

Even later komt er een ambulance met loeiende sirene naar de plaats waar Evert ligt.

De agenten leggen de broeders uit wat er gebeurd is.

Een van de agenten zoekt nog snel naar papieren in Everts

zakken en zegt, terwijl hij hem onderzoekt: 'Hij heeft geen papieren bij zich'.

Dan wordt Evert snel in de ambulance geschoven.

Met loeiende sirene vertrekt de ambulance naar een van de ziekenhuizen. Hij wordt snel naar de eerstehulppost gebracht.

'Dat is al de vierde vannacht,' zegt een van de verpleegkundigen.

'Maar deze is er wel heel slecht aan toe,' zegt een andere verpleegkundige.

Evert wordt op een bed gelegd en onderzocht.

'Hij heeft een paar hoofdwonden. Volgens de agenten hebben een stel jongens hem in elkaar getrapt. Een man die daar in de buurt woont heeft alles gezien en heeft de politie gebeld,' legt een van de ambulancebroeders uit.

'Laat snel dokter Hanga komen... dit gaat niet goed.'

Dokter Hanga, die dienst heeft, wordt opgeroepen. Evert wordt onderzocht door de arts.

'Dat ziet er niet zo goed uit. Hij heeft wat botbreuken volgens de foto's, maar ik vrees het ergste voor zijn hoofd. Hij is nog steeds buiten bewustzijn, hij heeft in zijn hoofd bloedingen... er loopt nog steeds bloed uit zijn mond.'

Er worden allerlei foto's en scans van zijn hoofd gemaakt. Hij krijgt zuurstof en ligt aan allerlei apparatuur en wordt dan naar de intensive care gebracht. De arts vraagt naar de gegevens van de patiënt.

'Hij heeft geen papieren bij zich,' zegt een van de verpleegkundigen.

'Weet de politie ook niet wie hij is?'

'Nee, die zijn nog met het onderzoek bezig en denken dat hij van zijn papieren beroofd is.'

'Dan horen we dat nog wel. Ik wil vierentwintig uur bewaking bij hem... volgens mij gaat dit niet goed en we kunnen geen familie waarschuwen of zo,' zegt de arts.

'Goed dokter, wij houden hem onder controle,' zegt een van de verpleegkundigen.

'Oké, ik kom zo nog wel even langs. We kunnen nu nog niet veel doen. Hij moet eerst uit zijn coma komen,' legt de arts uit.

Zo ligt Evert in een vreemd land en in een vreemd ziekenhuis.

3

Suze zit nog steeds op de bank en kijkt naar de ravage in de woonkamer. De computer en de monitor liggen aan diggelen tegen de muur.

'Mama, zal ik alles opruimen? Hij is helemaal kapot.'

'Nee, nee Tanja, niet aanzitten…' zegt Suze met een zachte stem.

'Mama, gaat u niet naar kantoor en ik niet naar school?'

'Nee, vandaag niet,' antwoordt Suze.

'Zal ik de tafel dekken en voor u een sneetje brood klaarmaken? Mama is toch ziek.'

'Nee, mama zal zelf wel het ontbijt klaarmaken.'

Voorzichtig staat Suze op van de bank en loopt naar de keuken. Ze zet twee bordjes klaar en twee bekers melk. Tanja gaat op haar plaats zitten achter de tafel en smeert een sneetje brood voor zichzelf en strooit er rijkelijk hagelslag op.

Als ze alle twee aan de keukentafel zitten en Suze aan haar sneetje brood wil beginnen, zegt Tanja: 'Mama, eerst bidden.'

'O ja,' zegt Suze wat verlegen.

Als ze alle twee naar de lege plaats kijken waar Evert anders met hen aan het ontbijt zit, vraagt Tanja: 'Komt papa weer terug, mama?'

Dan buigt Suze haar hoofd en houdt haar handen voor haar gezicht en huilt zachtjes. Tanja gaat van tafel en slaat haar armpjes om haar heen en huilt met haar mee.

'Is mama nog boos op papa… komt papa nooit meer terug?'

Suze veegt snel haar tranen weg en neemt Tanja op haar schoot en fluistert: 'Papa is een beetje ziek. Hij is vast naar een dokter en komt dan wel weer naar huis,' troost Suze haar dochtertje.

'Mama, waarom slaat papa met een fles op uw hoofd en heeft hij de computer kapotgegooid?'

'Dat komt omdat papa erg ziek is in zijn hoofd. Misschien maakt de dokter hem wel weer beter.'

'Maar papa liep heel hard weg.'

'Wij moeten nu flink zijn. Hij komt heus wel weer naar huis.'

'Waarom huilt u dan steeds?'

'Mama heeft een beetje verdriet om papa.'

'Is papa boos op mama?'

'Een beetje.'

'Omdat hij ziek is?'

'Ja...'

'Mag ik eerst onder de douche en mij aankleden?'

'Dat is goed, mama zal je schoon ondergoed geven,' zegt Suze terwijl ze van tafel wegloopt.

'We moeten nog Bijbellezen en danken. Zal ik uit de Bijbel lezen?'

'Nee, laten we maar danken,' zegt Suze terwijl ze haar handen vouwt.

'Gaat u nu ook voor papa bidden; dat hij weer beter wordt en naar huis komt?' vraagt Tanja. Suze kijkt vertederd naar haar dochtertje, die veel op haar vader lijkt met haar lange donkere haar, bruine ogen en rode appelwangen.

'Bid jij maar voor papa,' antwoordt Suze met een zachte stem.

Dan rent Tanja de trap op naar de badkamer, gevolgd door haar moeder, die haar helpt met schoon ondergoed en haar kleren klaarlegt.

Ondertussen maakt Suze de bedden op. Dan ineens wordt ze duizelig en valt ze op de grond in de slaapkamer. Ze voelt zich misselijk worden en kruipt naar het toilet en geeft over.

Als Tanja uit de douche stapt en zich afdroogt, ziet ze haar moeder op haar knieën bij het toilet zitten. Tanja gaat naar haar moeder toe en kijkt haar angstig aan.

'Bent u misselijk, mama?'

Suze geeft geen antwoord en gelijk moet ze weer vreselijk overgeven.

'Zal ik de buurvrouw roepen?'

Suze zegt nog steeds niets. Terwijl ze boven het toilet hangt, moet ze steeds opnieuw overgeven.

Tanja kleedt zich snel aan, rent de trap af en loopt achterom naar de buurvrouw. Ze klopt op de achterdeur, die dicht zit. Dan is daar de buurman die de deur opendoet en de kleine Tanja voor zich ziet staan.

'Mama moet steeds overgeven. Ze is heel ziek,' snikt Tanja.

'Kom maar even binnen.'

Dan roept hij zijn vrouw.

'Wat is er?' vraagt Rita als ze de keuken binnenkomt en Tanja ziet.

'Wat is er, kind. Is je vader weer teruggekomen?'

Dan vertelt Tanja dat haar moeder telkens moet overgeven.

'Ga jij even met dat kind mee om te kijken wat er aan de hand is.'

'Ja, ik ga al. Kom maar mee, kind,' zegt Rita terwijl ze Tanja een hand geeft. Ze lopen snel naar het huis van Tanja en gaan door de achterdeur naar binnen.

'Waar is je moeder?'

'Boven in de badkamer,' antwoordt Tanja terwijl ze al de trap op rent, gevolgd door de buurvrouw.

Ze vinden Suze in de badkamer bij het toilet.

Rita gaat op haar knieën naast haar zitten en legt haar arm om haar heen en vraagt: 'Gaat het weer een beetje?'

Suze schudt haar hoofd en moet weer overgeven.

'Volgens mij heb je een hersenschudding opgelopen door die klap op je hoofd. Je moet wat rust nemen.'

Tanja, die in de badkamer op een afstand toe staat te kijken, vraagt: 'Is mama ziek?'

'Nee hoor… ga jij maar naar de buurman en zeg maar dat jij zolang bij hem mag blijven; dan zorg ik wel voor je moeder.'

'Ja, ik ga naar ome Jan en zal het zeggen,' antwoordt Tanja. Ze kan heel goed met de buren overweg omdat ze vaak op haar passen als Suze naar kantoor is en ze haar ook van school halen. Ze is daar kind aan huis. Jan is met vervroegd pensioen en Rita heeft vroeger in de verpleging gewerkt. Soms moet ze wel eens invallen in het ziekenhuis als het druk is. Ze hebben de kinderen al de deur uit; die zijn getrouwd.

'Hier heb je een glaasje water. Drink dat nou eerst maar eens op,' zegt Rita.

Dan geeft ze haar een nat washandje om haar mond af te vegen.

'Gaat het al wat beter?'

Suze knikt en staat voorzichtig op. Als ze overeind komt, valt ze bijna weer. Rita ondersteunt haar en leidt haar naar de douche.

'Zal ik je even helpen met het douchen en dan ga je lekker naar bed.'

'Maar ik kan mijzelf wel douchen…'

'En dan zeker weer in elkaar zakken in de douche. Je hoeft je niet te schamen. Ik heb in het ziekenhuis als verpleegster al zoveel mensen moeten wassen, zoals je weet.'

Als Suze gedoucht is en schoon ondergoed aanheeft, helpt Rita haar naar bed.

'Heb je geen paracetamol in huis?'

'In het medicijnkastje in de badkamer,' antwoordt Suze.

'Dan neem je er twee in. Zelf slaap ik er ook goed op als ik niet in slaap kan komen.'

Ze geeft Suze twee tabletten en een glas water. Suze slikt de twee tabletten in en laat dan haar hoofd op het kussen zakken.

'Zo, nu zet je alle muizenissen uit je hoofd en probeer je maar eens lekker te slapen. Je hebt volgens mij door die klap een hersenschudding opgelopen,' legt Rita uit.

'Maar…'

'Niks te maren.'

'Het is allemaal zo erg…'

'Wat is erg?'

'Evert…'

'Die komt wel weer terug.'

'Hij is zo weggelopen zonder geld en papieren. Waar zal hij heen zijn?'

'Dat weet ik ook niet. Zijn auto staat nog in de garage, dus hij kan niet ver weg zijn.'

'Als hij maar geen domme dingen doet.'

'Dat heeft hij al gedaan… hoe komt Evert zover… jullie zijn zo'n net gezin.'

'Het is allemaal mijn schuld.'

'Dat zeg je wel steeds… toch is hij wel erg ver gegaan.'

'Hij zat vannacht achter de computer en…' verder komt Suze niet. Ze duwt haar gezicht in het kussen en snikt: 'Het is zo moeilijk om erover te praten… het is zo erg… Evert is zo…'

'Je hoeft mij niks te vertellen, kind. Jullie moeten het samen uitpraten, daar kunnen wij ons niet mee bemoeien,' zegt Rita terwijl ze met haar hand over Suzes blonde haar strijkt. Ze krijgt medelijden met haar en begrijpt wel een beetje wat er gebeurd moet zijn.

Suze draait zich om en kijkt Rita met betraande ogen aan en zegt: 'Evert houdt misschien niet meer van mij…'

'Kind, hoe kun je dat nou zeggen. Je bent een knappe, jonge vrouw en Evert laat jullie niet zomaar in de steek.'

'Toch wel… hij drinkt de laatste tijd veel sterke drank en maakt overal ruzie om. Vroeger ging hij vaak 's avonds als timmerman klussen bij andere mensen. Nu zit hij elke avond thuis of gaat hij naar zijn ouders tv kijken.'

'Daar is toch niks mis mee.'

'Hij gaat vaak ook zomaar weg en dan hoor ik dat hij de hele avond bij zijn ouders tv kijkt.'

'Het zijn toch zijn ouders, dat moet toch kunnen. Jij gaat toch ook overdag met je dochtertje wel eens naar je ouders. Niet dan?'

'Dat is heel wat anders.'

'Hoe bedoel je?' vraagt Rita, die op de rand van haar bed is gaan zitten.

'Bij ons thuis zijn wij niet gewend om tv te kijken. Evert wil tv in huis en daarom gaat hij bij zijn ouders kijken.'

'Toch moeten jullie dit als twee volwassen mensen uitpraten.'

'Evert heeft een heel andere opvoeding genoten.'

'Dat klopt, jij bent streng christelijk opgevoed en daar kunnen brokken van komen.'

'Toch was Evert in het begin niet zo. Hij had het nooit over de tv. Ik leerde hem de computer beter te bedienen en zo kon hij er ook mee omgaan in verband met zijn studie voor uitvoerder, maar nu gaat hij er verkeerde dingen mee doen,' snikt Suze.

'Daar was ik al bang voor. Je kunt het mij beter niet allemaal vertellen, later krijg je er spijt van.'

'U weet wel wat ik bedoel…'

'Een beetje wel, ja. Daarom begrijp ik niet dat je tegen tv bent, maar niet tegen een computer, daar kun je ook van alles op krijgen.'

'Maar daar is een computer niet voor bedoeld,' antwoordt Suze.

'Dat begrijp ik wel, maar toch schuilt er een gevaar achter. Eigenlijk heeft alles twee kanten. Je kunt er goed mee omgaan of slecht. Zo zit het leven met alles in elkaar, Suze. Jullie leven in een moeilijke tijd als jong gezin met al die moderne middelen. Wij hebben ook wel eens ruzie om de tv. Mijn man kijkt graag naar sport en ik naar medische programma's en dan moet je soms wat toegeven om de vrede te bewaren. Mannen blijven vaak kinderen. Ze willen altijd hun zin hebben. Een tv kan verslavend werken en dat is ook bij mijn man het geval wat voetbal betreft.'

'Dat is niet zo erg.'

'Nou ja…'

'Evert is helemaal gek geworden. Hij kijkt naar vreselijke dingen.'

'Hoe zou dat komen?'

'Ik ben geen goede vrouw…'

'Waarom niet?'

'Anders deed hij zoiets niet.'

'Je hebt wel een beetje gelijk, toch zie ik het anders. Het heeft meer met jouw geloof te maken.'

'Dat gooit Evert mij ook altijd voor de voeten,' snikt Suze.

'Het is maar wat je belangrijk vindt. Een kerk die zegt: Dit mag niet en dat mag niet. Een mens mag ook een eigen mening hebben en zelf beslissen wat kan en niet kan. Die dominee staat later echt niet aan de hemelpoort en zegt: weg jij, je hebt tv in huis gehad.'

'Zou het dan allemaal met die tv te maken hebben?'

'Ach nee, het gaat erom hoe je samen je leven invult.'

'Maar de mensen bij ons in de kerk hebben geen van allen tv en de dominee waarschuwt er ook voor,' zegt Suze nu wat opstandig.

'En de computer met internet is dat niet een gevaarlijk medium waar je ook tv op kunt kijken en nog meer vreselijke dingen?'

'Wij kunnen niet meer zonder computer en internet. We gebruiken het voor onze bankzaken, de administratie en om te e-mailen.'

'Dat is allemaal prima, toch kan er meer kwaad in zitten

dan in een tv. De tv staat meestal in de kamer en daar kijk je samen naar.'

'Onze computer staat ook in de kamer, maar Evert kijkt er vaak midden in de nacht naar of als ik niet thuis ben.'

'Dat is niet erg, maar ze kunnen zoveel met dat internetten en zo. Vooral voor de jeugd kan het verslavend werken. Het is vaak een groot probleem voor de ouders met al dat gedoe op de computer.'

'Dat is met tv net zo erg,' houdt Suze vol, die al wat slaperig wordt door de tabletten die ze heeft ingenomen.

'Ga jij nu maar lekker wat slapen. Over een uur kom ik wel even bij je kijken hoe het met je gaat.'

Suze knikt en draait zich om.

Als Rita een uur later weer teruggaat naar Suze om te kijken of ze nog slaapt, treft ze haar aangekleed aan in de woonkamer.

'Kon je niet slapen?'

'Na een half uurtje werd ik wakker door de telefoon. Ik dacht dat het Evert was, maar het was iemand van mijn werk. Ik ben vergeten af te bellen. Dus heb ik mij ziek gemeld en gezegd dat ik gevallen ben en een hoofdwond heb.'

'Dat heb je netjes gedaan, maar mag jij liegen?' lacht Rita.

'Nou ja...'

'Dus je hebt nog niks gehoord van Evert?'

'Waar zou hij zijn?' vraagt Suze met een zachte stem.

'Heb je zijn ouders niet gebeld?'

'Nee...'

'Waarom niet?'

'Dat durf ik niet.'

'Je hoeft toch niet alles te vertellen en misschien is hij wel bij zijn ouders en is hij vanmorgen gewoon naar zijn werk gegaan.'

'Hij moet uit zichzelf terugkomen. Hij is bij mij weggelopen en is goed verkeerd beziggeweest.'

'Daar heb je gelijk in.'

Dan gaat de telefoon. Suze blijft gewoon zitten.

'Waarom neem je niet op?'

'Als Evert het is...'

'Nou en.'

'Neemt u maar op,' zegt Suze wat nerveus.

'Ja, u spreekt met het huis van de familie Schilder?'

Het is een tijdje stil en dan zegt Rita: 'Hij is ziek... goed, ik zal het doorgeven.'

'Wie was dat?'

'Iemand van zijn werk. Hij is niet op zijn werk verschenen.'

'O...'

'Heeft hij zijn mobieltje niet bij zich?' vraagt haar buurvrouw.

'Nee, hij is weggegaan zonder zijn jack waar zijn rijbewijs en andere papieren in zitten.'

'Dus hij heeft ook geen geld of pinpas bij zich?'

'Nee, hij heeft alleen een zakdoek en een klein mesje in zijn broekzak.'

'Dus geen portemonnee?'

'Nee... meestal heeft hij een paar munten in zijn achterzak voor het parkeren.'

'Jammer...'

'Hij zal toch niet...' verder komt Suze niet. Ze begint opnieuw te huilen.

'Rustig nou maar. Hij komt heus wel weer terug.'

'Maar hij was erg overstuur... zo erg is het nooit geweest. Hij heeft mij nog nooit geslagen en dan nog wel met een fles. En die computer smeet hij als een wilde tegen de muur. Hij kan zichzelf wel wat aandoen... wie weet waar hij heen is,' snikt Suze.

'We kunnen nu de politie nog niet bellen. Ze gaan geen

man zoeken die een halve dag geleden met ruzie is weggelopen. Ze hebben wel wat anders te doen.'

'Hij is vast bij zijn ouders.'

'Nou, dan bel je hen.'

'Dat durf ik niet... wat moet ik dan zeggen?'

'Gewoon dat jullie ruzie hebben gehad en dat hij weg is gegaan en of hij bij hen is. Je hoeft niet alles te vertellen.'

Rita reikt haar de telefoon aan. Dan toetst Suze het nummer van haar schoonouders in.

'Ja, met mevrouw Schilder?'

'O... met mij...'

'Ben jij het Suze?'

'Ja... is Evert bij jullie?'

'Nee, hoezo?'

'Nou, ja...'

'Ruzie?'

'Ja... hij is kwaad weggelopen...'

'Die komt wel weer terug, maak je geen zorgen. Zal ik naar je toe komen?' vraagt haar schoonmoeder.

'Nee... de buurvrouw is er...'

'Bel je mij als hij weer terug is, Suze?'

'Ja...'

'Anders bel ik je vanmiddag nog wel. Maak je niet ongerust. Je weet dat hij de laatste tijd niet goed in zijn vel zit. Hij drinkt ook te veel. Het is te hopen dat hij vandaag weer naar jullie toekomt. Ik bel je nog wel, sterkte.'

'Ja dank u...' zegt Suze wat verlegen.

4

Na een week komt Evert uit coma in het ziekenhuis in een stadje in Duitsland.

Als hij zijn ogen opent, sluit hij ze direct. Even later knippert hij met zijn ogen tegen het felle licht. Zijn armen en benen zijn loodzwaar.

Waar is hij... is hij gestorven en is dit het nieuwe leven... dat kan toch niet. Hij ligt in een kamertje en er staat apparatuur naast zijn bed. Waarom ligt hij in bed... is hij ziek?

Dan staat er een verpleegster naast hem. Ze spreekt hem aan in een andere taal. Hij verstaat er wel wat van, maar niet alles.

'Bent u weer terug op deze wereld?' vraagt de verpleegkundige.

Evert haalt zijn schouders op. Hij wil wat zeggen, maar dat gaat moeilijk.

'Eh... ah...' het zijn alleen maar geluiden die hij voortbrengt.

Even later staan er meer mensen in witte jassen bij zijn bed en ze praten tegen hem. Ze stellen hem vragen. Steeds vragen ze naar zijn naam. Hij kan hen niet antwoorden.

Een van de artsen zegt dat hij een spraakstoornis heeft en dat het waarschijnlijk gekomen is door die klappen op zijn hoofd.

'Dat zou kunnen,' zegt een andere arts.

'We weten niet wie hij is. Hij werd hier een week geleden binnengebracht. Hij was zwaar gewond nadat hij in elkaar getrapt is door een paar dronken jongens. De foto's geven wat kneuzingen aan en ook een lichte hersenbeschadiging,' legt een van de artsen uit.

'We moeten hem, nu hij uit coma is, nog maar wat verder gaan onderzoeken,' zegt de arts die de leiding heeft.

'Waarop dokter?'

'Op zijn hersenfunctie en probeer er ook achter te komen wie deze meneer is,' antwoordt de arts.

Zo krijgt Evert een algemeen onderzoek en probeert men hem door allerlei manieren aan te laten geven wie hij is en waar hij vandaan komt.

Evert kan alleen wat geluiden uitbrengen.

'Wat moeten we met deze man?'

'Hij is nog te zwak en kan amper op zijn benen staan,' antwoordt een van de verpleegkundigen.

'Is er dan helemaal geen teken waar hij vandaan komt of wie hij is?'

'Hij brengt alleen wat geluiden voort en daar kunnen wij niks mee,' antwoordt een therapeut die steeds met hem bezig is.

'Heb je al geprobeerd hem wat op te laten schrijven?'

'Ja, kijk...'

'Het zijn alleen wat krabbels als van een kind van een paar jaar. Zou hij dit wel opgelopen hebben door die klap op zijn hoofd?'

'Dat moet haast wel,' antwoordt een ander.

Dan kijkt de arts die erbij is gehaald Evert aan en probeert contact met hem te krijgen door gebarentaal.

Evert kijkt de man verbaast aan.

'Nee, hij is niet doof of iets dergelijks. Hij kent de gebaren niet. Zijn hersenen hebben wel een beschadiging opgelopen,' zegt de arts.

'U bedoelt amnesie?'

'Het zou kunnen. Het is moeilijk om daarachter te komen. Je hebt zoveel varianten op dat gebied. Je kunt ook denken aan retrograde amnesie, dat gebeurt ook wel eens met een flinke klap op het hoofd of een val. Weet je nog dat we hier een man hadden die wel piano kon spelen maar verder geen woord kon uitbrengen?'

'Ja, nu u het zegt lijkt hij ook zo iemand. Later kon hij zich niets meer herinneren uit zijn verleden. Alleen dingen die hem vroeger waren ingeprent en daarom kon hij nog piano spelen. We konden hem alleen maar dingen laten doen die hij uit het verleden kende. Maar het lukte nog beter om hem dingen te laten doen die we hem hier leerden door hem het vaak achter elkaar te laten herhalen,' legt de arts uit.

'Geheugen kan door veel oefening en goede behandeling ver naar het verleden teruggebracht worden, maar helaas was bij deze man het verleden uitgewist zoals op een harde schijf het geheugen. Je kunt er wel nieuwe programmering in terugbrengen.'

'Zijn lichaam functioneert wel goed?' vraagt een andere arts.

'Zijn ledematen reageren normaal. Het is alleen zijn spraak en geheugen. Dat gebeurt vaak door een ongeluk of door een paar flinke tikken op het hoofd in dat deel van de hersenen die dit aansturen,' legt de arts uit.

'Daar zijn we het dus allemaal mee eens. Toch zitten we nog met een moeilijkheid.'

'Dat is?'

'Niemand weet wie deze man is. Zelf kan hij het niet zeggen of opschrijven. Hij wordt hier in Duitsland niet vermist. De politie weet niet meer dan dat een man heeft gezien dat hij door een paar jongens in elkaar werd geslagen die te veel hadden gedronken,' zegt een verpleegkundige, terwijl ze in een politierapport kijkt.

'Laat mij dat rapport eens lezen,' vraagt de arts.

'Dus die man heeft hem horen roepen?'

'Ja… wat wilt u daarmee zeggen?'

'Dat hij, voor hij buiten bewustzijn was, geen spraakstoornis had,' legt de arts uit.

'Daar heeft hij nu niks aan,' zegt een verpleegkundige.

'Dat zegt heel veel. Hij heeft dit na die klappen op zijn hoofd gekregen. Dan ga ik toch weer denken aan een soort uitval van een van zijn hersenfuncties en dat kan tot gevolg hebben dat hij nu amnesie heeft,' legt de arts uit.

'Kan hij zich dan niks meer herinneren?'

'Dat denkt ik niet en het is goed aan hem te merken.'

'Hij is weer in slaap gevallen.'

'Laat hem voorlopig maar een tijdje met rust. Het is te hopen dat hij door veel rust geen last meer heeft van amnesie, maar dat lijkt mij onwaarschijnlijk.'

'Hij heeft misschien wel vrouw en kinderen. Is er nog geen vermissing opgegeven?' vraagt de arts.

'Nee...'

'De politie heeft het in onderzoek en heeft foto's van hem gemaakt, maar er is geen enkele reactie op gekomen,'

'Hij hoeft niet per se uit ons land te komen.'

'Daar heeft u gelijk in. Was er nog iets bijzonders aan hem?'

'Zoals u weet uit dit rapport had hij alleen maar ondergoed aan en een broek met een overhemd en een paar schoenen.'

'Vreemd dat zo'n man midden in de nacht rondloopt zonder papieren op zak.'

'Zijn die jongens wel goed ondervraagd?'

'Ja, door de politie.'

'Dus die jongens hebben zijn spullen niet gestolen?'

'Nee, de politie staat ook voor een raadsel en wil graag weten wie deze man is,' antwoordt een verpleegkundige.

Een paar weken nadat Evert uit coma is gekomen, gaat het lichamelijk goed met hem. Hij eet normaal, maar kan zich nog steeds niet goed uiten. Er komen alleen onverstaanbare woorden en vreemde geluiden uit zijn mond.

Hij krijgt al snel spraaktherapie. Ze worden niets wijs over het verleden van Evert. Hij lijkt een kind dat moet leren praten. Op een dag is hij samen met een verpleegkundige die is opgeleid voor spraaktherapie. Ze heeft een nieuwe manier bedacht en wil Evert achter een computer zetten. Hij kijkt angstig naar de monitor en wil er niet achter gaan zitten.

'Is dit iets dat je herkent?' vraagt verpleegkundige Irma.

Evert geeft geen antwoord als ze hem vragend aankijkt. Er lopen tranen langs zijn wangen.

'Heb je vaker met een computer gewerkt en is er toen iets gebeurd?'

Evert veegt snel met de rug van zijn hand zijn tranen weg en haalt zijn schouders op.

Irma schrijft het op en heeft nu toch wat uit zijn verleden.

Na een paar dagen krijgt ze hem toch zover dat hij achter de computer plaatsneemt. Hij leert al snel wat Duitse woorden op de computer in te tikken. Het zijn vaak woorden die niet echt goed te lezen zijn. Als Irma naar zijn verleden vraagt, of hij een vrouw of kinderen heeft, dan komt er geen antwoord via het toetsenbord en kijkt hij angstig naar de monitor alsof er iets verschrikkelijks op zal verschijnen.

'Waar heb je moeite mee?' vraagt Irma.

Evert draait zich om, laat zijn hoofd zakken en wrijft angstig over zijn gezicht.

'Probeer eens je naam in te toetsen,' vraagt ze dan.

Hij gaat achter het toetsenbord zitten en kan geen letter intoetsen.

'Zal ik eens raden hoe je heet?' zegt Irma terwijl ze een heel rijtje Duitse namen opnoemt en intoetst, maar de naam van Evert komt er niet in voor.

'Dus jouw naam is er niet bij?'

Evert geeft geen antwoord.

Dan toetst ze een paar plaatsen van Duitsland in, want ze heeft opdracht om zo snel mogelijk achter Evert zijn identiteit te komen.

Als ze weer een paar namen heeft ingetoetst en steeds naar het gezicht van Evert kijkt, geeft ze het maar op en zegt: 'Dus je hebt geen naam?'

Evert, die alles wel een beetje verstaat, haalt zijn schouders op ten teken dat hij het niet meer weet.

'Maar iedereen heeft toch een naam?' zegt Irma terwijl ze hem vragend aankijkt. Ze begrijpt dat bij Evert alles dat bij het verleden hoort is uitgewist. Maar alles dat ze hem nieuw leert, zoals wat Duitse woorden, neemt hij wel in zich op en kan hij na een tijdje oefenen wel onthouden.

Evert is een knappe man van in de dertig en hij heeft krullend zwart haar en bruine ogen die Irma vaak aankijken als een kind dat opnieuw het leven heeft ontdekt. Hij is af en toe vrolijk, maar kan dat niet met anderen delen door zijn spraakstoornis en geheugenverlies. Hij heeft wel een geheugenverlies, maar zijn geweten laat hem niet met rust, al weet hij niet waarom hij tijdens de eenzame nachten vaak moet huilen.

Door zijn geweten heeft hij vaak pijn in zijn ziel, al weet hij niet meer waar dat vandaan komt. Hij kan zijn zonden dan ook niet plaatsen en voelt alleen de pijn van de zonden.

Dan valt het Irma op dat hij bij het eten af en toe zijn handen vouwt en zijn ogen sluit. Als Irma dat ziet vraagt ze: 'Geloof jij in God?'

Evert knikt wat verlegen.

Ze gaat weer met hem achter het toetsenbord zitten en vraagt: 'Welke God?'

Hij toetst heel gebrekkig in: 'God Zelf.'

'Wie is dat? Er zijn zoveel goden,' zegt Irma.

Evert toetst dezelfde letters in.

'Je bedoelt de Vader van de Heere Jezus?'

Evert toetst ja in.

'Dan geloven wij in dezelfde God,' zegt Irma terwijl ze hem blij aankijkt, maar Evert kijkt helemaal niet blij en hij laat zijn hoofd zakken.

'Wat is er?'

Evert schudt zijn hoofd.

'Kun je het intoetsen voor mij?'

Voorzichtig toetst Evert het woord zondaar in.

'Dat zijn wij allemaal, maar hoe weet jij die je naam niet weet dat je een zondaar bent?'

Evert wijst naar zijn hart en toetst gebrekkig pijn in.

'Dat kan toch niet. Je weet niets uit je verleden en toch heb je pijn over je zonden uit het verleden.'

Evert haalt zijn schouders op.

'Zal ik vragen of de dominee van dit ziekenhuis eens met je komt praten? Hij weet er meer van dan ik.'

Evert haalt opnieuw zijn schouders op alsof het hem niets kan schelen.

'Het lijkt mij heel verstandig om toch eens met de dominee over jou te praten. Vind je dat goed?'

Het woord God en dominee maakt hem angstig. Irma merkt het en krijgt medelijden met deze man die zich niet kan uiten en zich een zondaar voelt. Ze zal eens met de dominee gaan praten. Ze kent de predikant van het ziekenhuis goed.

Irma legt de predikant uit dat haar patiënt aan geheugenverlies leidt en toch last van zijn zonden heeft.

'Dat kan.'

'Maar hij weet niks meer uit zijn verleden, zelfs zijn eigen naam niet.'

'Toch heeft het geheugen niet altijd met het geweten van de mens te maken. God werkt door Zijn Heilige Geest ook met de mens, al is hij zijn geheugen verloren.'

'Dat gaat boven mijn pet,' zegt Irma verbaasd.

'Toch is het zo. Het geweten raak je niet kwijt. Je ziet het vaak bij demente mensen die soms hun nood bij God klagen. Het is een goed teken als een mens last van zijn zonden heeft.'

'Dat zegt u.'

'Heb jij er geen last van?' vraagt dominee Handel terwijl hij Irma aankijkt. Ze krijgt een rood hoofd en antwoordt met een zachte stem: 'Soms...'

'Het is maar goed dat God ons op onze zonden wijst.'

'Maar er is toch vergeving?'

'Een mens blijft op aarde een zondaar, ook al is zijn verleden uitgewist. Als de Heere God de zonden in een mens uitwist, gebeurt er een groot wonder. Je bent nog jong, maar oudere mensen voelen in deze wereld de zonden vaak als een zware last op zich drukken als ze God meer leren kennen. Jij moet je eens voorstellen dat de zonde en de schuld er bij een mens niet meer is en wij geen zonden meer kunnen doen. Ach kind, dat is het heerlijkste wat een mens kan overkomen; dan loopt hij over van vreugde en gaat hij God loven en prijzen. Maar dat zal pas gebeuren als wij eenmaal thuis zullen komen en de genade van Hem mogen ontvangen,' legt dominee Handel uit.

'Dat zal wel... ik heb daar niet zoveel verstand van en probeer eerlijk te zijn tegenover de mensen en God.'

'Kun jij de wet houden?'

'Nee... wie wel?'

'Door de wet heeft de mens zondekennis, maar Hij zet daar boven: Hem lief te hebben boven alles en je naaste als jezelf, dat is het grote gebod.'

'Dat probeer ik wel,' antwoordt Irma voorzichtig.

'Dat kan geen mens, Irma. Alleen de Heere Jezus heeft het volbracht. Hij heeft de wet vervult en kan zondaren redden die last van hun zonden hebben en ertegen strijden. Ook al vallen ze opnieuw in zonden en struikelen ze telkens.'

Irma knikt alleen maar wat verlegen.

'Dus je wilt dat ik een praatje met die meneer maak?'

'Maar hij kan zich niet uiten. Ik probeer het met de computer. Schrijven kan hij ook niet. Hij heeft hersenletsel opgelopen door een paar jongens die hem in elkaar hebben geslagen.'

'Dus je weet zijn naam niet. Heeft hij dan geen papieren bij zich en is er geen familie die hem herkent?'

'Nee, daar gaat het juist om. De politie is er al een tijd mee bezig en hoopt dat wij wat uit hem krijgen dat hem terugbrengt naar zijn verleden,' legt Irma uit.

'Dus er is geen aanknopingspunt?'

'Nee, helemaal niks.'

'Heeft hij het met jou over zijn zonden gehad?'

'Ik zag het onder het eten toen hij zijn handen vouwde en ik hem ernaar vroeg. Hij toetste God in en toen vroeg ik hem of hij ook in de Heere Jezus geloofde, want er zijn zoveel godsdiensten.'

'Je bedoelt afgoden?'

'Ja… hij is vaak erg emotioneel als je met hem over het geloof praat. In het begin was hij erg bang voor het computerscherm. Ik denk dat het ook met zijn verleden heeft te maken,' legt Irma uit.

'En tv?'

'Daar kijkt hij nooit naar, dat kan ook met zijn geloof te maken hebben.'

'Daar kun je wel eens gelijk in hebben. Er zijn christenen die geen tv kijken.'

'Het zou kunnen. Kunt u wat tijd vrij maken voor hem?'

'Dat zal ik zeker doen, Irma.'

'Vindt u het goed dat ik erbij ben?'

'Als je dat per se wilt.'

'Graag, ik moet zo snel mogelijk achter zijn identiteit zien te komen in verband met zijn familie.'
'Dat begrijp ik.'

5

Suze heeft het moeilijk. Evert wordt al twee maanden vermist. De politie heeft een rapport opgemaakt en in veel kranten heeft een oproep gestaan met een foto en de tekst: Man in overspannen toestand van huis weggegaan.

Wat ligt er vaak een ellende achter zo'n tekst in de krant. Suze en haar dochtertje Tanja missen hun man en vader erg. Tanja kan niet begrijpen dat haar papa is weggelopen, niet meer terugkomt en waarom hij mama heeft geslagen. Het kind heeft zoveel vragen, die ze ook vaak aan haar moeder stelt. Maar Suze zit zelf vol met vragen en verdriet.

'Mama, bent u nog boos op papa?' vraagt Tanja als haar moeder haar die avond naar bed brengt.

'Nee lieverd, mama mist papa ook erg.'

'Maar waarom komt papa dan niet naar huis?'

Het is een vraag die Tanja bijna elke dag stelt. Suze kan er bijna geen antwoord op geven. In het begin kon ze nog zeggen dat haar papa wel weer terugkomt, maar dat kan niet meer nu hij al zo lang weg is en iedereen weet dat er naar hem gezocht wordt.

'Is papa soms bij een andere mama?'

'Nee. Tanja, papa houdt ook van ons,' antwoordt Suze op de vraag die haar dochtertje voor het eerst stelt.

'Op school zeggen ze van wel.'

'Wat zeggen de kinderen op school?'

'Dat papa naar een andere vrouw is en niet van u houdt.'

'Dat mogen ze niet zeggen,' antwoordt Suze, hoewel ze zelf ook vaak aan deze mogelijkheid denkt.

'Houdt papa wel echt van u?'

'Ja lieverd...'

'Waarom komt hij dan niet naar huis? Het is mijn papa,' snikt Tanja.

Suze neemt haar dochtertje in haar armen en laat haar tranen de vrije loop.

'Weet mama niet waar papa heen is?'

'Nee...' antwoordt Suze terwijl haar tranen op het donkere lange haar van Tanja druppelen.

'Waarom vinden ze papa dan niet?'

'Dat weet ik niet, lieverd.'

'Opa zei tegen oma dat hij misschien niet meer leeft.'

'Dat mag opa niet zeggen,' zegt Suze met een zachte stem.

'Ga nu maar lekker slapen,' zegt ze dan, terwijl ze haar dochtertje onderstopt.

'Ik moet nog bidden mama.'

'Ja, natuurlijk kind...'

Tanja knielt voor haar bedje neer. Suze hoort het gebedje van haar kind dat hardop bidt: 'U weet waar papa is...' Suze knielt naast haar dochtertje neer en bidt ook om hulp en kracht. Dan voelt ze een arm om haar heen en vraagt haar dochtertje: 'Zou de Heere God echt weten waar papa nu is mam?'

'Dat denk ik wel, lieverd.'

'Waarom stuurt de Heere God papa dan niet naar huis, dat kan Hij toch?'

Suze knikt.

'Is papa nog steeds boos op mama?'

'Nee...'

'Papa was wel boos op u.'

'Dat is hij nu niet meer.'

'Dan komt hij toch weer terug naar ons... het is ook mijn papa... ik wil dat hij terugkomt...' snikt Tanja.

'Je moet nu gaan slapen. Papa komt wel weer terug als we veel voor hem bidden.'

Suze dekt haar dochtertje opnieuw onder en geeft haar een zoen op haar wang.

Tanja stopt een van haar duimen in haar mond en kijkt

haar moeder dan vragend aan, haalt haar duim weer uit haar mond en zegt: 'Ik ga misschien wel over papa dromen dat hij weer bij ons is.'

'Ja lieverd, droom jij maar,' antwoordt Suze terwijl ze haar nog een zoen op haar wang geeft en dan naar beneden gaat.

Als ze beneden is, gaat ze op de bank liggen. Ze voelt zich lusteloos. Ze moet flink zijn tegenover haar dochtertje. Hoe lang houdt ze dit nog vol?

Dan wordt er op de achterdeur geklopt en staat ze snel op en kijkt angstig naar de deur. Zou Evert het zijn? Nee, Evert klopt niet op de deur. Dan staat haar broer Hans in de deuropening.

'O ben jij het...'

'Ja... hoe gaat het ermee?'

Suze buigt haar hoofd en geeft geen antwoord. Hans, die jonger is dan zij, kan zich geen houding geven en weet niet zo snel wat hij zal doen. Dan gaat hij naast haar zitten en legt zijn arm om haar heen zonder wat te zeggen.

'Het is zo moeilijk Hans, Tanja gaat steeds meer vragen stellen en op school zeggen de kinderen...' verder komt Suze niet.

'Dat hij niet meer leeft of zo?' vraagt Hans.

'Nee... dat hij bij een andere vrouw is... een andere mama...' snikt Suze.

'Kinderen kunnen elkaar vaak veel pijn doen. Je gelooft het zelf toch niet?'

'Het zou kunnen. Ik ben tekortgeschoten als vrouw.'

'Dat geloof je zelf niet.'

'Toch wel; als hij echt van mij houdt dan was hij allang weer teruggeweest. Hij heeft toch ook een kind dat steeds naar haar vader vraagt... heeft hij dan geen gevoel...'

'Zo moet je niet denken over Evert.'

'Het is toch zeker zo... hij is al twee maanden weg... ik geloof er niet meer in.'

'Waar geloof jij niet meer in?'

'Dat hij terugkomt en nog om ons geeft.'

'Er kan van alles gebeurd zijn met Evert,' zegt Hans voorzichtig.

'Daar had Tanja het ook al over. Ze heeft gehoord dat pa en ma tegen elkaar gezegd hebben dat hij misschien niet meer leeft.'

'Ze moeten voorzichtig zijn als Tanja bij hen is. Kinderen zijn vaak erg opmerkzaam en horen dingen die ze beter niet kunnen horen,' antwoordt Hans.

'Wat denk jij dan?' vraagt Suze terwijl ze haar broer aankijkt.

Hans haalt zijn schouders op en weet niet wat hij antwoorden zal.

'Denk jij ook dat hij bij een andere vrouw zit?'

'Nee, zo is Evert niet,' zegt Hans, die zoiets niet van zijn zwager denkt.

'Toch gebeurt het vaak.'

'Als het zo zou zijn, dan zal hij zeker wat van zich laten horen. Hij is geen man die zoiets doet.'

Suze kijkt voor zich uit en denkt aan die nacht toen ze haar man achter de computer betrapte met die vreselijke beelden. Haar broer Hans weet daar niets van. Ze wil daar liever niet over praten. Zelfs niet met de politie die haar vragen stelde waarom haar man in overspannen toestand is weggegaan. En waarom hij de computer kapot heeft gesmeten en haar met een lege fles op haar hoofd heeft geslagen. De politie stelt haar steeds opnieuw vragen waarom hij zo deed die nacht. Het was een echtelijke ruzie en dan kan het wel eens uit de hand lopen, vooral als er sterke drank een rol in speelt, piekert Suze.

'Je moet niet denken dat hij een andere vrouw heeft, zo is

Evert niet,' zegt Hans opnieuw om zijn zus te troosten, die het zo moeilijk heeft. Hij zou haar graag willen helpen, maar hij staat, zoals de hele familie, machteloos.

Het is een tijdje stil tussen broer en zus. Suze staat op en wil koffie gaan zetten.

'Zal ik koffie zetten?' vraagt Hans.

'Jij? Koffie zetten?'

'Dat kan ik heus wel.'

'Nee, laat mij maar.'

'Heb je geen zin mee te gaan naar huis, naar pa en ma?' vraagt Hans dan ineens.

'Nee... trouwens, ik heb geen oppas.'

'De buurvrouw past toch vaak op?'

'Overdag als ik naar kantoor ging en ze ook Tanja van school haalde, nu is dat niet meer nodig... ik werk al een tijdje niet meer,' antwoordt Suze met een zachte stem.

Dan komt Suze met twee bekers koffie terug uit de open keuken en gaat weer naast haar broer zitten. Ze nemen een paar slokken koffie, dan kijkt Hans zijn zus aan en zegt: 'Zijn de dagen en de avonden dan niet verschrikkelijk lang als je steeds thuis zit?'

'Dat wel ja...' antwoordt Suze met een zucht.

'Wil je niet weer gaan werken, al is het maar voor een paar uur?'

'Nee, ik heb ontslag genomen.'

'Hoe zit het dan financieel met je?'

'Evert zijn baas stort nog elke maand zijn salaris op de bank.'

'Dat is netjes van hem.'

'Hij zal Evert wel ziek gemeld hebben of zo,' antwoordt Suze wat onverschillig.

'Breng je nu zelf Tanja naar school?'

'Ze gaat tegenwoordig alleen. Het is niet zo ver hier vandaan.'

'Zal ik vragen of de buurvrouw komt oppassen, dan kun je met mij mee en ben je er even uit, dat is goed voor je.'

'Nee, de buren kijken graag elke avond tv... overdag komt ze nog wel eens.'

'Waarom ga je niet eens naar haar toe?'

'Soms komt ze mij overdag wel eens halen, maar 's avonds niet. Ze weet dat ik niet van tv hou.'

'Is dat ook niet een probleem geweest tussen jullie?' vraagt Hans dan onverwachts.

'Ja...'

'En de computer?'

'Die gebruik ik niet meer... hij is kapot,' antwoordt Suze met een brok in haar keel.

'Wilde jij niet toegeven?'

'Je bedoelt de tv?'

'Ja...'

'Hij ging vaak bij zijn ouders kijken.'

'Hoe denk je nu over tv?'

'Hetzelfde.'

'Maar als Evert daarom is weggegaan, dan is er toch iets niet goed?'

'Dat is het niet alleen... Hans, ik praat er liever niet over...' antwoordt Suze terwijl ze haar handen voor haar gezicht houdt en snikt: 'ik wist niet beter en heb mij in Evert vergist. Het is allemaal zo erg... hij houdt niet meer van mij. Hij zal wel naar een andere vrouw gegaan zijn die hem wel gelukkig kan maken... het is allemaal mijn eigen schuld. Nooit wilde ik toegeven aan zijn verlangens... en hij vroeg vaak of ik wel echt van hem hield, maar ik begreep niet wat hij ermee bedoelde. Wij zijn thuis zo heel anders opgevoed. Hij wilde dingen die niks met liefde te maken hebben...'

Hans legt opnieuw zijn arm om haar schouders en zegt: 'Je moet je niet schuldig gaan voelen. Jij wist ook niet beter.

Jullie hadden samen meer over zulke dingen moeten praten,'
legt Hans uit.

'Dat kon Evert niet en zeker de laatste tijd niet meer. Hij
werd stil en afstandelijk en zat veel bij zijn ouders. Hij dronk
te veel sterke drank en dan zat hij vaak 's nachts achter de
computer...'

Hans weet niet wat hij hiermee aan moet als vrijgezel. Hij
weet heus wel wat er te koop is in deze wereld en vooral wat
de computer en internet betreft is hij niet wereldvreemd. Als
een man of vrouw de begeerte niet kan beteugelen, dan
wordt hij of zij een slaaf van de computer.

Maar Evert... nee... Meestal denk je aan de jeugd die vaak
van alles op internet bekijkt. Hij heeft zelf thuis geen internet en heeft er ook geen behoefte aan. Ze vinden hem wel
ouderwets, maar hij is tevreden met zijn bestaan. Hij woont
nog bij zijn ouders en runt samen met zijn vader een boerderij op een ouderwetse manier. Zijn ouders zijn ook erg
tegen al dat nieuwe gedoe. Als hij de hele dag hard heeft
gewerkt op de boerderij, dan leest hij 's avonds een krant of
rommelt wat in de schuur en prutst wat aan zijn jeep en de
tractor. Hij zal zich nooit vervelen, er is allicht wat te doen
op de boerderij.

Laten ze maar kletsen over hem als ouderwetse vrijgezel.
Hij moet niks van al die rommel hebben, maar nu heeft zijn
zus ermee te maken, nu ze getrouwd is met een man uit
een heel ander nest. Evert was een beste kerel en ze hadden
thuis niks tegen hem. Hij had alles over voor zijn zus. Hij
ging akkoord dat ze geen tv hadden en was niet te lui om te
werken.

Hij was een goede timmerman. Ze hebben samen een
paar loodsen in elkaar gezet en wat kippenhokken.
Hij kon goed met zijn zwager Evert overweg. Nee, dit had
hij nooit achter hem gezocht. Het komt gewoon doordat
hij een heel andere opvoeding heeft gehad. Hij was van huis

uit niet gewend om naar de kerk te gaan. Hij deed dit allemaal voor Suze omdat hij van haar hield.

Door Suze kwam er ook een computer bij hen in huis. Voor veel mensen is een computer met internet onmisbaar. Zelfs de mensen van de kerk en de predikant kunnen niet meer zonder. Zeker, ze hebben er een filter inzitten zodat er niks verkeerd kan gaan, maar er gaat nog veel door de gaten van die filter.

Hij kent alleen maar de koffiefilter en daar schaamt hij zich niet voor. Er gaan veel huwelijken kapot en kinderen zijn bezig met vreselijke programma's waar hun ouders geen kijk meer op hebben.

Hij las van de week nog in de krant dat een op de twee mannen en een op de twee vrouwen zich tegoed doen aan porno. Het is niet te geloven. Het gebeurt in Amerika, maar hier in Nederland zal het niet veel beter zijn, piekert Hans.

'Wat ben je stil geworden. Heb je soms een vriendin?' vraagt Suze.

'Nee...'

'Je bent al vijfentwintig.'

'Maakt dat wat uit?'

'Nee, dat niet.'

'Waarom ga je niet op jezelf wonen?'

'Nee, ik heb het thuis goed en houd van het boerenleven,' antwoordt Hans.

'Heb je nog zin in koffie?'

'Nee dank je, ik heb thuis ook al een beker op.'

'Hoe gaat het met pa en ma?'

'Die zitten over jou in...'

'O...'

'Is de dominee al geweest?'

'Ja, hij komt elke week.'

'Hoe denkt hij erover?'

'Hoe bedoel je?'

'Wat Evert betreft?'

'Hij vindt het moeilijk.'

'Heb je hem alles verteld?'

'Nou ja…'

'Moeilijk hè…'

'Je weet dat hij mij gelijk geeft wat de tv betreft en zo.'

'Dus Evert is de zondaar en bidt hij wel voor hem?'

'Waarom zou hij niet?'

'Het wordt tijd dat we een wat jongere predikant krijgen. Hij begrijpt de jeugd niet en waarschuwt te weinig omdat hij niet weet wat er onder de jeugd leeft.'

'En dat zeg jij. Je bent zelf net zo ouderwets.'

'Ik kan geen gesprek met hem voeren. Hij gaat altijd zo diep en soms begrijp ik niet waar de man het over heeft.'

'Is dat niet je eigen schuld?'

'Het zou kunnen. Alleen over de zonden preken en praten kan een mens zwaarmoedig maken, de ziel sluiten en het boze naar binnen laten.'

'Hoe bedoel je dat?'

'Hij heeft geen kennis van het werkelijke leven, althans dat mis ik bij hem.'

'Dat valt best mee.'

'Kon je met hem over Evert praten?'

'Soms wel. Hij is erg bezorgd over ons en vraagt of ik wel alles bij de Heere neerleg en daar rust in kan vinden.'

'Helpt dat?'

'Soms wel.'

'Heb jij een idee waar Evert kan zijn?'

'Nee…'

'Ben je niet bang dat hij…' verder durft Hans niet te gaan.

'Je bedoelt dat hij zich van het leven heeft beroofd?'

'Ja…'

Opnieuw kijkt Suze angstig voor zich uit en lopen er tranen over haar wangen. Ze snikt: 'Soms heb ik lelijke gedachten...'

'Jij lelijke gedachten?'

'Dan denk ik dat hij bij een andere vrouw zijn geluk zoekt en ons voor die vrouw in de steek laat omdat hij bij mij niet gelukkig was.'

'Dat moet je niet steeds denken en uit je hoofd zetten. Zo is Evert niet. Ik denk dat hem iets overkomen is of dat hij zich in het buitenland schuilhoudt.

De politie krijgt niet één tip binnen en weet ook niet waar hij gebleven is. Een mens kan toch zomaar niet van de aardbodem verdwijnen,' zucht Hans.

'Had ik maar wat zekerheid...'

'Stel je voor dat je te horen krijgt dat hij, zoals jij denkt, bij een andere vrouw zit.'

'Dat zou ik niet kunnen verwerken... nee, nog liever dat hij...'

'...dood is,' vult Hans aan.

'Nou ja... het is allemaal ondragelijk. Maar een andere vrouw... hij heeft ook nog een kind. Tanja vraagt elke dag naar haar vader en bidt voor hem.'

'Zou je het hem kunnen vergeven?'

'Omdat hij mij dit alles heeft aangedaan en ervandoor is gegaan?'

'Nee, dat niet alleen, maar stel dat hij met een andere vrouw een tijdje heeft geleefd en toch weer terug wil naar jullie?'

'Daar wil ik niet aan denken...'

'Toch denk je zelf steeds dat hij bij een andere vrouw zit. Zelf geloof ik niet dat Evert zo is,' zegt Hans eerlijk.

Dan staat Hans op en zegt: 'Het wordt tijd dat ik de oudjes weer eens ga opzoeken en op tijd naar bed ga. Voor een boer is de nacht kort.'

'Fijn dat je even langs bent gekomen. Zeg maar tegen

pa en ma dat ik morgen met Tanja kom.'

'Dat moet je zeker doen. Het is nu nog mooi weer en voor Tanja is het ook fijn op de boerderij.

6

Op een middag als Irma Evert therapie geeft, komt predikant Handel bij hen zitten. Hij geeft Evert een hand en stelt zich voor als geestelijk verzorger van het ziekenhuis. Evert knikt alleen maar en het lijkt dat hij begrijpt wat de bedoeling is. Irma laat wat antwoorden op de monitor zien die Evert heeft ingetoetst. Dominee Handel schudt zijn hoofd en zegt met een zachte stem: 'Nee. Hier begrijp ik niks van, het is een warboel van woorden. Hoe kom jij hier uit?'

'Dat gebeurt in het begin meestal met zulke patiënten. Ze zijn de taal niet meer machtig,' legt Irma uit.

Dominee Handel kijkt Evert aan en vraagt: 'Wie is God voor jou?'

Evert haalt zijn schouders op en kijkt naar boven.

'Probeer maar wat in te toetsen,' zegt Irma tegen Evert.

Evert toetst weer het woord in: 'Zondaar.'

'Dat is duidelijk,' zegt dominee Handel.

'Hoe bedoelt u?' vraagt Irma.

'Deze man is geen Duitser, dat is zeker als ik al die antwoorden zie en nu dit woord zondaar. Volgens mij komt hij uit Nederland of België.'

'Het zou kunnen; zelf heb ik daar ook wel eens aan gedacht, maar hij haalt alles zo door elkaar dat ik erg twijfel,' legt Irma uit.

'Wat zeggen de artsen hiervan?'

'Dat hij… kan ik u even apart spreken,' zegt Irma dan.

Ze staan alle twee op en gaan naar een kamertje en laten Evert alleen achter.

'U wilt weten hoe de artsen over hem denken?'

'Ja…'

'Ze denken dat hij gestoord is en dat kan door die klappen op zijn hoofd zijn gebeurd of ze denken dat hij al gestoord was voor die jongens hem in elkaar trapten,' legt Irma uit.

'Dus medisch gezien hebben de artsen er ook geen antwoord op.'

'Nee…'

'En de psychiater van het ziekenhuis?'

'Denkt hetzelfde.'

'Hoe denk jij er zelf over als therapeut?'

'Ik kan er niks mee. Zijn spreken en taal blijft hetzelfde en hij is vaak erg emotioneel.'

'Dat merkte ik toen ik hem die vraag stelde. Wie God voor hem is. Vreemd dat hij op aandringen van jou in het Nederlands zondaar intoetst.'

'Dat is juist voor mij het probleem.'

'Waarom?'

'Zelf heb ik het gevoel dat hij een gevoelig mens is en mij iets wil zeggen, maar er niet over kan praten.'

'Daar kan hij zelf niets aan doen. Hij is gestoord, dat is voor mij ook duidelijk.'

'Dus u denkt dat hij het niet heeft opgelopen door die klappen op zijn hoofd?'

'Ik ben geen arts, maar ik ben daar wel bang voor,' antwoordt dominee Handel.

'Oké, laten we nog eens proberen wat uit hem te krijgen,' zegt Irma terwijl ze opstaat en ze samen teruggaan naar Evert, die nog steeds met gebogen hoofd achter het toetsenbord zit. Ze gaan naast hem zitten. Dan vraagt dominee Handel in het Nederlands: 'Ben je op de vlucht voor iets?'

Evert kijkt hem angstig en wild aan en steekt zijn beide armen omhoog.

'God kan je zonden vergeven, beste man,' zegt de dominee dan weer in het Nederlands.

'Eh nee!' schreeuwt Evert overstuur. Irma kijkt verbaasd naar Evert en zegt: 'Hij zegt voor het eerst een woord.'

'En het is geen Duitser,' zegt dominee Handel.

'Nee, u heeft gelijk.'

Evert laat zijn armen zakken en zit er als een verslagen mens bij.

'Wie bent u?' vraagt Irma nu ook in het Nederlands.

Evert geeft geen antwoord en begint als een kind te huilen.

Dan vraagt dominee Handel vriendelijk in het Nederlands: 'Heeft u familie hier in Duitsland?'

Evert schudt zijn hoofd.

'Komt u uit Nederland of België?'

Evert kijkt de dominee vragend aan.

'Heeft u vrouw of kinderen?'

Opnieuw begint Evert te huilen.

'Hij begrijpt het wel... volgens mij heeft hij iets ernstigs meegemaakt en is hij daarvoor op de vlucht. Ik kan niet begrijpen dat de psychiater zelf niet aan deze man werkt en het aan jou overlaat,' zegt dominee Handel tegen Irma.

'De artsen weten er ook geen raad mee en vragen aan mij of ik er wat uit kan krijgen om achter zijn identiteit te komen en daar ben ik al een tijd mee bezig', legt Irma uit.

'Dit is geen werk voor jou. Hier moet een psychiater aan werken. Deze man zit vol moeilijkheden en emoties.'

Evert verstaat niet alles wat de dominee tegen Irma zegt.

'De politie wil weten wie deze man is in verband met zijn familie, die hem nu toch moet missen.'

'Dat is werk voor de politie zelf. Hij heeft recht op een goede medische behandeling,' zegt dominee Handel.

'Daarom heb ik u er ook bijgehaald toen ik hem zag bidden. Zelf krijg ik geen woord uit hem en als hij wat intoetst dan is het een warboel of korte antwoorden in het Nederlands.'

'Waarom denk je dan dat hij een Duitser is?'

'Dat is toch normaal. Ik krijg zo vaak mensen die niet goed Duits spreken en zeker als ze door de politie van de straat zijn opgepikt bij een vechtpartij zoals deze man.'

'Ik neem je het dan ook niet kwalijk Irma. Maar ik wil er alleen mee zeggen, dat we meer moeten denken aan de mens zelf en niet alleen aan zijn identiteit. Deze man is geestelijk gewoon de weg kwijt en dat los je niet op met woorden op een computer,' zegt dominee Handel eerlijk.

'Dus u denkt dat ik er beter mee kan stoppen?'

'Hij moet gewoon een eerlijke behandeling krijgen.'

'En dat is?'

'Onder psychiatrische behandeling.'

'U kunt toch ook aan hem werken. Hij begrijpt u.'

'Dit is mijn vak niet.'

'Ik dacht dat een dominee er was voor de geest van de mens.'

'Daar heb je gelijk in. Alleen hij geeft zich niet bloot en daar kan een psychiater beter aan werken.'

'Toch is hij een gelovig man.'

'Dat wel, ja.'

Dominee Handel legt zijn hand op de schouder van Evert en vraagt in het Nederlands: 'Zal ik voor u bidden?'

Opnieuw lopen er tranen over Evert zijn wangen terwijl de dominee bidt, dan snikt Evert: 'Nee... nee!'

Dominee Handel zegt gelijk amen als hij Evert hoort roepen en vraagt terwijl hij opnieuw zijn hand op Evert zijn schouder legt: 'Wat wil je niet... wil je niet meer bidden... Ben je bang voor God omdat je een zondaar bent?'

Evert geeft geen antwoord en laat zijn hoofd zakken en huilt zachtjes. Irma krijgt medelijden met hem en veegt snel haar tranen weg.

'Hij is helemaal op. Als ik jou was kun je hem vandaag beter met rust laten en hem medicijnen geven zodat hij wat tot rust komt.'

'Ja, dat lijkt mij ook het beste en ik zal met dokter Derk over hem praten zodat hij een andere behandeling krijgt.'

'Dat lijkt mij verstandig en ik zal proberen hem elke week op te zoeken,' zegt dominee Handel.

Hij geeft Evert een hand en een schouderklopje en zegt in het Nederlands: 'Veel sterkte en ik zal voor je bidden en laten we hopen dat je weer wat tot rust mag komen.'

Evert wordt overgeplaatst naar een psychiatrische afdeling en krijgt daar een speciale behandeling.

De psychiater heeft al snel in de gaten dat Evert een stuk uit het verleden mist en met een groot schuldgevoel rondloopt. Hij is vooral erg emotioneel en dan is er nog zijn spraakstoornis, die hij heeft opgelopen door de trappen tegen zijn hoofd.

Ze begrijpen inmiddels dat hij een buitenlander is en waarschijnlijk uit Nederland komt of België. Toch wordt er geen melding van gemaakt naar Nederland of België.

De politie doet niets met het bericht van het ziekenhuis. Dus hij wordt niet meer als vermist opgegeven in Duitsland. Ze laten het voorlopig over aan het ziekenhuis.

Er is in Duitsland ook een groot aantal zwervers. Evert wordt dan ook onder die groep gerekend. Hij had immers niet meer aan dan een broek en een hemd met schoenen en zonder sokken en maakte een verwarde indruk. Hij heeft die nacht wel een paar flinke tikken tegen zijn hoofd gekregen, maar dat gebeurt wel meer. Voorlopig mag hij nog onder behandeling blijven.

Hij mag vaak naar buiten onder begeleiding. Hij spreekt al meer woorden in het Duits, maar het zijn korte woorden. Als ze hem vragen stellen over zijn verleden, dan raakt hij in de war en krijgt hij er helemaal geen woord meer uit. Is deze man al gestoord geweest voordat hij door die jongens in elkaar werd getrapt, of komt het wel door die trappen tegen zijn hoofd? De arts twijfelt hierover en zo blijft Evert op de psychiatrische afdeling. Er wordt weinig aandacht aan hem besteed. Dominee Handel zoekt hem af en toe op. Hij denkt ook dat Evert een van de vele zwervers is die in zijn land rondlopen.

Als dominee Handel hem weer op een middag bezoekt en hem in het Nederlands vraagt: 'Weet je nu echt niet hoe je heet?'

'Nee...'

'Zelfs je voornaam niet?'

'Nee...'

'Denk eens goed na... ieder mens heeft een naam gekregen.'

Evert knikt en denkt: Nu beginnen ze weer over mijn naam. Mijn psychiater heeft het al zo vaak geprobeerd, maar mijn geheugen is uitgewist. Toch blijft deze predikant het vol houden. Hij heeft al vaker zulke mensen ontmoet in het ziekenhuis en weet dat hij geestelijk meer kan bereiken dan een psychiater die niet in God gelooft. Door het geloof gebeuren er soms nog wonderen en zo probeert hij bij mij wat uit mijn verleden boven water te krijgen.

'Mis je veel omdat je hier nu zit?'

'Ja.'

'Wat is er dan gebeurd in je leven?'

Evert laat zijn hoofd zakken en haalt zijn schouders op ten teken dat hij geen antwoord kan geven.

'Weet jij dat God jou ook kent en dat je ouders je misschien wel hebben laten dopen in de kerk.'

Nu kijkt Evert hem vragend aan.

'Dus je hebt een doopnaam gekregen en die naam is bij God bekend. Geloof jij dat?'

'Ja...'

Het zijn maar korte antwoorden die Evert geeft.

'Dus je komt uit Nederland?'

'Ja...'

'Weet je dat zeker?'

Dan haalt Evert zijn schouders op ten teken dat hij het niet weet.

'Wil je niet terug naar Nederland?'

Evert geeft geen antwoord.

'Zijn er mensen die je mist... vrouw, kinderen, familie?'

Het zijn dezelfde vragen die hem al zo vaak zijn gesteld.

Evert kijkt de andere kant op alsof hij wil zeggen: man, waar praat je over.

Dominee Handel denkt toch dat hij te maken heeft met een getrouwde man die ook kinderen heeft. Hij kijkt naar de ring die hij draagt; dat is een touwring waar ze het al vaker over hebben gehad. De dominee wil het eens proberen. Misschien staat hij open voor hem nu ze elkaar een aantal keren gesproken hebben.

'Kun je die ring van je vinger afkrijgen?'

'Nee...'

'Het is toch een trouwring?'

'Ja...'

'Dus je bent getrouwd of getrouwd geweest?'

'Ja...'

'Mag ik die ring van je vinger af laten halen?'

Evert knikt.

Dominee Handel loopt naar een van de verpleegkundigen van de afdeling en vraagt of het mogelijk is de ring van Evert zijn vinger te halen.

'Wat wilt u met die ring?' vraagt de verpleegkundige.

'Weet u zijn naam?'

'Nee... we hebben zelf een naam voor hem bedacht.'

'En dat is?'

'Jan de Hollander.'

'Waarom Jan?'

'Die naam komt in Nederland het meest voor,' lacht de verpleegkundige.

'Kun je even naar zijn ring kijken of deze eraf kan?'

'Heeft u daar een bedoeling mee?'

'Wat dacht je?'

'Dat zou ik echt niet weten dominee, maar ik zal het proberen met wat spul dat we wel eens vaker gebruiken om ringen af te doen bij een operatie en zo.'

'Fijn…'

Even later komt de verpleegkundige met een tube met een vettige zalf en vraagt aan Evert of ze naar zijn trouwring mag kijken om deze eraf te krijgen.'

Ze pakt zijn hand en smeert wat vet op de ringvinger en draait de ring een paar keer om. Het lukt niet.

'Nee… hij heeft te dikke vingers gekregen,' zegt de verpleegkundige en stopt ermee.

'Is er een andere oplossing?' vraagt dominee Handel.

'Daar moet hij toestemming voor geven.'

'Hoezo?'

'We moeten de ring eraf laten knippen en daar moet toestemming voor zijn.'

'Vind je het goed dat we de ring van je vinger afknippen?' vraagt dominee Handel voorzichtig.

'Nee…' antwoordt Evert.

'Waarom niet? Het is voor je eigen bestwil. Wij willen weten of er een naam in de ring staat.'

Evert kijkt dominee Handel wat angstig aan.

'Haal er maar iemand bij die zijn ring eraf kan knippen,' zegt dominee Handel tegen de verpleegkundige.

'Daar kan ik niet zomaar over beslissen Hij moet een formulier invullen en ondertekenen of iemand van zijn familie moet dat doen,' legt de verpleegkundige uit.

'Geef mij maar zo'n formulier, dan neem ik die verantwoording wel op mij,' zegt dominee Handel wat kort.

'Ik zal het toch even aan zijn behandelend arts moeten vragen.'

'Oké, ik wacht wel.'

Even later komt er een verpleegkundige die tegen de dominee zegt: 'U hoort morgen van ons of wij de ring eraf halen.'

'Dan kom ik morgen wel even hierheen en hoop ik dat jullie de ring eraf hebben.'

'Dat zal wel lukken. Als u even dit formulier invult, dan zorg ik wel dat het in orde komt,' zegt de verpleegkundige.

Dominee Handel vult het formulier in en zet zijn handtekening eronder.

Evert begrijpt niet veel van het gesprek van de Duitsers onder elkaar. Hij vangt wel wat woorden op, maar het meeste gaat langs hem heen. Daarom is hij blij dat de dominee vaak tegen hem in het Nederlands spreekt.

De volgende dag wordt de ring doorgeknipt met een apparaatje. Als later in de middag dominee Handel bij Evert komt ziet hij dat de ring van zijn vinger af is en vraagt: 'Waar is je ring?'

'Zuster...' antwoordt Evert wat emotioneel.

'Vind je het erg van je ring... stond er wat in?'

'Ja...'

'Een naam?'

'Ja...' Verder komt Evert niet want zijn ogen zijn nat geworden van emotie.

Dominee Handel gaat naar de balie waar een van de verpleegkundigen zit en vraagt waar de ring van Evert is gebleven.

'Die mag ik u zomaar niet geven,' krijgt hij als antwoord.

'Ik heb ervoor getekend,' legt dominee Handel uit.

'Goed... ik zal hem even voor u pakken.' Ze haalt uit een laatje een zakje waar de ring van Evert in zit.

'Alstublieft dominee.'

'Dank u wel.'

Voor hij ermee naar Evert gaat probeert hij de kleine lettertjes te lezen, maar dat lukt hem niet. Hij vraagt aan dezelfde verpleegkundige aan de balie: 'U heeft nog betere ogen dan ik. Wilt u lezen wat voor naam er in de ring staat en dat voor mij opschrijven?'

Het meisje lacht en schrijft op het briefje: Suze 5-6-1999. Ze geeft het briefje met de ring aan de dominee die zachtjes voor zich uit zegt: 'Suze... dus toch een trouwring of een verlovingsring. Dacht ik het niet.'

Hij gaat terug naar Evert en gaat tegenover hem zitten en laat hem de ring zien en zegt: 'Dit is jouw trouwring, die heeft Suze jou omgedaan...'

'Suze... Suze...' snikt Evert.

Dominee legt zijn hand op zijn schouder en troost hem en zegt: 'Dus Suze is jouw vrouw. Nu weten we toch wat over jou... Fijn toch... Het komt allemaal wel weer in orde met jou. Kom, laten we God danken en om kracht bidden.' Ze vouwen hun handen. Dominee Handel bidt hardop voor Evert en noemt daar ook de naam Suze bij.

7

De zomervakantie is aangebroken in Nederland en ook in veel andere landen. Het is druk in Nederland. Soms lijkt het wel een soort volksverhuizing. Veel Nederlanders trekken naar het buitenland. De snelwegen naar Duitsland en andere landen staan vol met blik. De files zijn lang. Er komen ook veel buitenlanders naar ons land. Het zijn vooral veel Duitsers die naar de kust van Nederland trekken. De Waddeneilanden, zoals Texel, zijn vooral in trek, bij veel jongelui.

Dit jaar gaat de familie Schilder niet op vakantie. De kleine Tanja heeft ook vakantie van school. Ze is ruim vijf jaar en mist nu haar vriendinnetjes die met vakantie zijn. Ze mist echter het meest haar vader. Hij is nog steeds niet naar huis gekomen na die vreselijke nacht die ze niet snel zal vergeten. Ze heeft ook vaak nare dromen en roept dan om haar moeder als ze wakker wordt, of ze kruipt bij haar moeder in bed. Ook deze nacht is het weer erg met Tanja. Ze droomt dat haar vader voor hun huis staat en met zijn vuisten op de deur slaat en roept: 'Laat mij naar binnen, ik houd van jullie.' Maar moeder wil vader niet binnenlaten en roept: 'Ga maar naar die andere vrouw. Wij hebben jou niet meer nodig. Je hebt mij geslagen, ga weg!'

Als Tanja midden in de nacht wakker wordt, gaat ze rechtop in bed zitten en kijkt angstig om zich heen. Was papa aan de deur… Heeft mama hem echt weggestuurd… nee… hoort ze wat… Ja, ze hoort de traptreden kraken… zou? Ze staat snel op en kijkt bij de trap angstig naar beneden. Dan gaat ze naar de slaapkamer van haar moeder. Ze knipt het licht aan en ziet dat het bed van haar moeder leeg is. Angstig kijkt ze naar het lege bed. Het was toch alleen maar een droom… of zou papa echt thuis zijn en krijgen ze weer ruzie… nee, ze hoort geen stemmen.

Voorzichtig gaat ze de trap af, de woonkamer in. Ze knipt het licht aan. Ze ziet haar moeder op de bank zitten met haar hoofd tussen haar handen. Nu kijkt haar moeder haar aan en vraagt: 'Wat is er Tanja... kun je niet slapen?'

'Was papa aan de deur?'

'Nee lieverd, hoe kom je daar nu bij?' Ze pakt haar dochtertje en neemt haar op schoot. Tanja merkt dat het gezicht van haar moeder nat is.

'Heeft u weer gehuild mam?'

Suze drukt haar gezicht in het lange donkere haar van Tanja en snikt: 'Mama mist papa ook zo...'

'Waarom komt papa dan niet naar huis als u het ook goed vindt?'

'Niemand weet waar papa is.'

'Mag hij dan wel thuiskomen van u?'

'Waarom vraag je dat?' vraagt Suze, haar aankijkend.

'Papa heeft u toch geslagen en de computer kapot gegooid. Hij rende kwaad weg... ik ben hem achterna gegaan en heb papa geroepen, maar hij rende steeds harder weg... waarom was papa zo boos op u?'

Suze weet na al die maanden nog niet hoe ze dat haar dochtertje uit moet leggen... haar eigen kind. Ze kan haar niet de waarheid vertellen. Ze zou het niet begrijpen.

'Opa en oma zeggen dat papa van u geen tv mag kijken.'

'Welke opa en oma?'

'De tv-oma en opa.'

'Je bedoelt opa en oma Schilder?'

'Ja...'

'Die mag je geen tv-oma en opa noemen.'

'Waarom nemen wij geen tv. Als papa dan thuiskomt, kan hij bij ons tv kijken. Nu gaat hij bij andere mensen kijken.'

'Nee lieverd, papa is ziek.'

'Komt dat door de tv?'

'Dat weet mama niet.'

'Waarom koopt u geen tv. Bijna iedereen heeft tv. Ook mijn vriendinnen en de buurvrouw en buurman... ik mag vaak bij hen kijken.'

'Als papa weer thuis is, dan zal mama er met papa over praten. Nu moet je weer gaan slapen.'

'Wij gaan nu niet met vakantie... papa is er niet.'

'Misschien komt papa weer naar huis.'

'Is papa dan nog steeds boos op u?'

'Nee lieverd.'

'Waarom gaan wij zelf papa niet zoeken?'

'Dat moet de politie doen.'

'Dat helpt niet, zegt opa Schilder. U moet het ook op tv doen.'

'Dat heeft de politie ook gedaan. De politie heeft het in de krant en op radio en tv bekendgemaakt, met een foto van papa,' zegt Suze.

'Opa en oma zeggen dat er een programma op tv is, waar veel mensen naar kijken, over mensen die vermist zijn. Dan mogen wij op tv vragen of papa weer naar huis wil komen omdat wij hem erg missen. En dan kunt u zeggen dat u niet meer boos bent op papa,' legt de kleine Tanja uit.

'Opa en oma moeten jou niet zulke rare verhalen vertellen. De politie doet goed zijn best.'

'Mag ik morgen naar opa en oma?'

'Welke opa en oma?'

'Naar uw papa en mama en oom Hans op de boerderij.'

'Naar opa en oma Verschoon?'

'Ja, dan mag ik ome Hans helpen met voeren en zo.'

'Als je belooft nu te gaan slapen.'

'Mag ik dan bij u in bed slapen... soms krijg ik zulke nare dromen over papa en u...'

'Goed lieverd, maar dromen zijn bedrog, dat weet je toch?'

'Toch droomde ik dat papa op de deur stond te bonken en riep of hij binnen mocht komen en u deed de deur niet open... het was net echt.'

Suze veegt snel een traan weg als ze dit hoort. Ze weet dat haar kind vaak zulke nachtmerries heeft en voelt zich hieraan schuldig.

'Mama laat papa altijd binnen. Mama kan papa ook niet missen...' snikt Suze nu.

Ze drukt Tanja tegen zich aan en huilt zachtjes.

'Wisten we maar waar papa was, dan konden we hem bellen en vragen of hij weer naar huis komt en zeggen dat hij tv mag kijken...' zegt Tanja zachtjes.

Suze geeft geen antwoord en veegt haar tranen weg. Ze staat op en draagt Tanja naar boven naar haar slaapkamer. Als ze in bed liggen, kruipt Tanja dicht tegen haar moeder aan. Als Suze het nachtlampje boven haar bed uitknipt fluistert Tanja: 'Zullen we voor papa bidden mam?' Ze steekt haar handjes in die van haar moeder en bidt zachtjes.

Dan valt Tanja in slaap. Suze voelt het warme lichaampje van haar kind, dat nu rustig slaapt naast haar. Haar eigen gedachten staan niet stil. Ze voelt zich steeds meer schuldig tegenover haar kind. Tanje heeft door haar steeds opnieuw nachtmerries. Ze vertelde dat ze de deur niet open wilde doen voor haar vader. Zelfs haar eigen kind denkt dat haar vader door haar is weggelopen. Is het dan toch allemaal haar schuld? Had ze dan toch moeten toegeven aan hem? Nee, ze kan geen tv in huis verdragen. Ze vindt het al erg genoeg dat haar kind tv kijkt bij de buren en haar schoonouders. Ze heeft vaak de beelden op tv gezien bij haar schoonouders. Ze hangen de hele avond voor de tv, net als de buren. Als er voetbal op is dan hoort ze vaak de buurman tekeergaan. Zou Evert dat ook wel echt willen... is het allemaal daardoor gekomen? Kreeg Evert een hekel aan haar omdat hij tv wilde kijken en ging hij daarom midden in de nacht naar die vreselijke beelden op de computer kijken? Heeft hij daarom al die dvd's gekocht die ze later heeft gevonden? Waarom Evert... je weet dat ik van je houd... alsjeblieft kom terug...' snikt Suze zachtjes. Zo valt Suze tegen de morgen in slaap.

Laat in de morgen gaan Suze en Tanja naar de boerderij van haar ouders. Suze rijdt het erf op en stopt naast de deur van de boerderij. Haar broer Hans staat in de deur van een grote loods.

Tanja opent het portier van de auto, rent naar hem toe en roept: 'Ome Hans!'

'Tanja...' Hij tilt haar op en draait met haar in het rond. Ze geeft Hans op elke wang een zoen, dan zet hij haar weer op de grond.

'Mag ik op de pony rijden ome Hans?'

'Nee, we gaan eerst wat drinken bij oma en opa,' zegt haar moeder.

Dan gaan ze naar binnen waar opa en oma hen vriendelijk begroeten. Ze gaan aan de tafel zitten in de grote keuken en drinken koffie. Tanja krijgt een glas fris, maar als ze het snel heeft leeggedronken vraagt ze aan Hans: 'Gaan we nu naar de pony?'

'Rustig jij. Ome Hans moet eerst koffie drinken. Hij heeft hard gewerkt,' zegt oma.

'Maar nu ga ik ome Hans helpen met het werk en ik heb vakantie,' zegt ze vrolijk.

Suze ziet dat haar kind hier helemaal opvrolijkt. Het is hier bij haar ouders op de boerderij toch heel anders dan bij de ouders van Evert. Daar gaat haar dochtertje gelijk achter de tv zitten en horen ze haar niet meer. Hier kan een kind nog vrolijk zijn en buiten spelen.

Dan gaat Hans met Tanja naar buiten. Ze mag eerst een ritje maken op de pony en dan mag ze mee bij hem op de tractor. Tanja geniet van dit boerenleven. Hier op de boerderij is alles anders dan thuis.

'Hoe gaat het met je?' vraagt haar moeder.

'Gaat wel...' antwoordt Suze wat timide.

'Heb je nog helemaal niks gehoord van Evert?'

Suze schudt haar hoofd.

'Het is tegenwoordig wat met die kerels. Ze lopen zomaar weg als ze hun zin niet krijgen,' zegt haar vader.

Suze laat haar hoofd op haar armen zakken en snikt: 'U moet niet zo lelijk over Evert praten.'

Dan krijgt haar moeder medelijden met haar dochter en legt haar hand op haar schouder en zegt: 'Rustig maar kind, we weten dat je het moeilijk hebt. Je had nooit met hem moeten gaan...'

'Wij hebben je nog gewaarschuwd,' zegt haar vader dan kort.

'Maak dat kind nog verder overstuur,' zegt haar moeder.

'Het is toch zeker zo. Je hoort tegenwoordig niet anders meer. Ze gaan uit elkaar om niks. Vroeger was dat anders, dan was je voor het leven met elkaar getrouwd en was er geen ruzie om een tv of een computer. De kinderen zijn de dupe van dit alles. Het komt allemaal door de welvaart. De mensen zijn niet meer tevreden. Ze willen een duur huis en een grote auto, het liefst twee. Ze gaan het liefst twee keer per jaar met vakantie en dan zijn ze nog niet gelukkig. Ze doen aan geen geloof en denken dat er geen einde aan komt. De mens is niet meer gelukkig omdat hij God niet meer nodig heeft. Moet je zondags eens zien. Er is geen verschil meer met andere dagen. Die Evert van jou komt ook uit zo'n nest. Als jij niet stevig in je schoenen staat, dan gaat het met jou en je kind dezelfde kant op. Kom je nog wel eens in de kerk?' vraagt haar vader.

Suze richt haar hoofd op, kijkt haar vader aan en schudt haar hoofd.

'Dacht ik het niet.'

'Hou nou maar op… ze heeft het al moeilijk genoeg. Je weet heel goed dat ze trouw naar de kerk ging en Evert ook. Hij zal wel moeilijkheden hebben en daarom weggegaan zijn. Wij mogen niet oordelen,' zegt haar moeder.

'Niet oordelen over een kerel die zijn vrouw en kind in de steek laat en haar met een fles op de kop slaat. Ze mag blij zijn dat hij vertrokken is. Hij zal wel bij een ander wijf zitten!' schreeuwt haar vader kwaad.

'Je gaat te ver,' zegt haar moeder als ze ziet dat haar dochter opstaat en naar de deur loopt.

'Ik heb geen medelijden met zo'n kerel,' antwoordt haar vader.

'Het is wel je dochter die ermee zit.'

'Ze kan beter een man van de kerk nemen.'

'Je weet niet wat je zegt,' antwoordt zijn vrouw kwaad.

Suze loopt naar buiten, stapt in haar auto en rijdt alleen het erf af. Haar moeder loopt naar de auto en wil haar tegenhouden. Suze geeft vol gas. Tranen lopen over haar wangen. Ze rijdt de weg op. Ze denkt niet meer aan Tanja. Ze zit vol emoties door de verwijtende woorden van haar eigen vader.

Ze rijdt naar het bos en stopt bij een zandweggetje en stapt uit. Hier kwam ze vaak als kind en ook later toen ze verkering had met Evert. Ze loopt verder het bos in; dan komt ze bij de boom waar Evert met zijn mes een hart in de boom heeft gekerfd met hun namen erin.

Ze gaat tegen de boom op de grond zitten. Vroeger zaten ze hier als een verliefd stel. Haar ouders wilden in het begin niet hebben dat ze met Evert ging. Hij had eerst een oorbel in, maar deed deze voor haar uit. Hij deed zijn best om zich aan te passen aan haar levensstijl die ze thuis gewend was en waar ze zelf ook achter stond.

Evert hield echt van haar. Hij had alles voor haar over. Toen hij ook met haar mee naar de kerk ging, werd hij ook bij haar thuis aanvaard en ging alles goed. Ze waren gelukkig. Evert had een goede naam als timmerman en ging bijna elke avond klussen. Ze kregen een kind… Tanja. Ze waren rijk gezegend. Een eigen huis. Evert werkte hard. Totdat hij 's avonds geen zin meer had om bij de mensen te klussen. Hij ging vaak bij zijn ouders tv kijken. Ook ging hij regelmatig naar de kroeg en kwam dan vaak dronken thuis. Ze leefden langs elkaar heen. Tot in die nacht dat verschrikkelijk gebeurde en hij bij haar wegvluchtte als een moordenaar. Nu zit ze hier alleen… ze kan niet meer verder. Ze laat haar tranen de vrije loop en snikt: 'Waarom Evert… Evert, kom toch terug, ik houd zo van je en kan je niet missen ondanks alles…Kom terug en geef mij een kans…'

De moeder van Suze ziet dat Hans weg is met de tractor en ook Tanja heeft meegenomen. Ze pakt de telefoon en toetst het nummer van het mobieltje van Hans in. Ze hoopt maar dat hij hem aan heeft staan.

'Ja… met Hans?'

'Hans… kom meteen naar huis…'

'Wat is er?'

'Suze is er in overspannen toestand vandoor gegaan.'

'Ik kom eraan.'

Hans keert zijn tractor en rijdt terug naar de boerderij.

'Wat is er gebeurd?' vraagt Hans aan zijn ouders als hij binnen is.

'Je vader is weer eens tekeergegaan,' antwoordt zijn moeder.

'Pa waarom… ze heeft het al moeilijk genoeg; begrijp dat toch eens,' zegt Hans, die nogal rustig van aard is.

'Ik heb haar de waarheid gezegd en niks anders.'

'Ach u begrijpt er niks van,' zegt Hans terwijl hij de boerderij uitloopt en in zijn auto stapt.

'Ome Hans, mag ik mee?'

'Nee, blijf jij maar bij oma,' antwoordt Hans terwijl hij snel wegrijdt.

Als hij bij het huis van zijn zus komt en merkt dat alles op slot zit gaat hij naar de buurvrouw.

'Zo Hans... je hebt pech, je zus is niet thuis.'

'Dat weet ik, maar ze was op weg hiernaartoe en ik dacht misschien dat ze al thuis was.'

'Ze ging vandaag de hele dag naar jullie vertelde ze mij vanmorgen voor ze ging.

'Bedankt...' Hans stapt weer in zijn auto en rijdt weg.

Waar zou ze heen zijn... hoe kon zijn vader nu zo dom zijn. Hij pakt zijn mobieltje en toetst het nummer van het mobieltje van Suze in.

Ze neemt niet op. 'Zou ze naar iemand toe zijn, een vriendin of zo...' piekert Hans.

Nee, in zo'n situatie ga je niet naar andere mensen. Als ze maar geen gekke dingen in haar hoofd haalt...'

Suze staat op en kijkt naar het hart dat vroeger door Evert in de boom is gesneden. Het is bijna niet meer te lezen. Zo kan het bij hen ook worden. Niet meer te lezen... bij haar toch wel in haar hart... maar bij Evert... houdt hij nog wel van haar? Zal hij nog bij haar terug komen? Leeft hij nog... of is hij bij een andere vrouw? Wat moet ze hier... kan ze er zelf niet beter een eind aan maken? Ze loopt naar haar auto en gaat achter het stuur zitten. Ze geeft gas en rijdt met hoge snelheid het bospad uit de weg op. Dan komt een auto haar tegemoet. Ze herkent de auto. Ze gaat zachter rijden en stopt. Ook de andere auto stopt.

Hans stapt uit zijn auto, rent naar de auto van zijn zus en vraagt: 'Waar ben je geweest?'

Suze laat haar hoofd op het stuur van de auto zakken en snikt: 'Ik weet het niet meer...'

Hans loopt om de auto heen en gaat naast haar zitten.

'Wat is er… kom op, je moet flink zijn.'

'Nee Hans, ik zie het echt niet meer zitten…'

'Je moet aan je kind denken. Ze heeft haar moeder nodig nu ze ook geen vader meer heeft.'

'Jij hebt makkelijk praten… het gaat niet goed met ons.'

'Hoe bedoel je dat?'

'Tanja gaat steeds meer vragen stellen over haar vader en heeft nachtmerries. Ze heeft die nacht te veel gezien. Ze is toen ook achter haar vader aangerend en heeft hem steeds geroepen…'

'Dat gaat wel weer over. Ik breng je naar huis, dan kan Tanja bij ons op de boerderij blijven en bij ons wat spelen en kun jij wat tot rust komen. Oké?'

Suze knikt alleen maar. Hans neemt haar mee in zijn eigen auto.

'De auto van jou haal ik vanmiddag wel weer op. Geef mij de autosleutels maar.' Zo brengt Hans zijn zus naar huis. Hij blijft nog even wat met haar praten en zorgt dat ze wat slaappillen inneemt. Ook waarschuwt hij de buurvrouw om af en toe bij haar te gaan kijken.

8

Evert ligt die nacht al vroeg in bed in het ziekenhuis. Hij is erg emotioneel doordat ze zijn trouwring van zijn vinger gehaald hebben en hij de naam Suze hoorde. Bovendien vroegen ze hem of hij met haar getrouwd is. Hij krijgt wat rustgevende pillen voor de nacht.

Als hij midden in de nacht in slaap valt, komt er een stuk verleden in zijn droom terug. Hij ziet Suze en Tanja in levende lijve voor zich staan. Ze spreken hem aan: 'Evert kom je weer naar huis... papa, je moet naar huis komen. Evert... Papa... Hij ziet Suze huilen en zijn kleine Tanja pakt zijn hand en zegt: 'Kom maar papa: wij gaan samen terug naar mama, naar huis.' Zo loopt hij aan de hand van zijn dochtertje en even later is daar ook Suze die zijn andere hand vasthoudt en zo wandelen ze het ziekenhuis uit.

Als hij wakker wordt en de droom voor hem werkelijkheid lijkt, maar toch beseft dat het een droom is, raakt hij overstuur en gaat zijn bed uit. Hij heeft zijn lieve vrouw en dochtertje herkent in een droom. Hij moet hier weg en op zoek naar hen.

'Suze lieverd... Waar ben je...' fluistert hij en dat doet hij steeds opnieuw uit angst dat hij die naam en beeltenis uit zijn droom weer kwijtraakt. Hij trekt snel zijn kleren en schoenen aan en loopt zijn kamer uit. Het is stil op de gang. Als hij niemand ziet, sluipt hij door de gang naar een van de deuren. Hij heeft pech, want de deur zit op slot. Dan hoort hij stemmen en ziet hij twee verpleegkundigen lopen. Snel gaat hij in een van de kamertjes. Hij kijkt om zich heen en ziet dat hij in een van de kantoortjes is. Hij loopt naar het raam, opent het voorzichtig en laat zich uit het raam naar beneden zakken. Als hij aan de onderkant van het kozijn hangt en geen gevoel meer in zijn handen heeft, valt hij naar beneden. Hij komt in een paar struiken terecht. De val was niet hard. Het is een val van de eerste verdieping.

Snel staat hij op en sluipt door de struiken en komt op een groot gazon terecht. Hij ziet een hekwerk. Hij moet hier weg... Er leeft een dwang in hem: Hij moet naar Suze, naar zijn vrouw en zijn kind die hij ontmoet heeft in zijn droom. Voor Evert is deze droom werkelijkheid geworden. Hij heeft eindelijk wat hem lief is uit zijn verleden teruggevonden, ook al zag hij het alleen maar in een droom. Als hij dicht bij het hek is, klimt hij eroverheen en komt zo op de weg. Hij wandelt zo rustig verder totdat hij bij huizen komt. Er branden straatlantaarns. Hij moet ergens in het stadje zijn. Hij loopt verder en komt op een oud fabrieksterrein terecht en dan loopt hij een grote hal binnen. Hij hoort stemmen en wil wegvluchten. Een man pakt hem bij de arm. Evert schudt de man van zich af.

'Wat zoek je hier?' vraagt de man in het Duits. Evert verstaat hem nu hij al zo lang in Duitsland is.

'De trein...'

'Waar moet je heen?'

'Naar huis...'

'Waar woon je?'

Dan laat Evert zijn hoofd zakken en haalt zijn schouders op en weet niet wat hij antwoorden zal.

'Ben je verdwaald of zo?'

Evert knikt.

'Kom maar mee, ik heb nog wel een slaapplaats voor je.'

Evert volgt de man en komt in de oude fabriekshal, waar nog meer mannen op oude matrassen liggen.

'Rust hier maar wat uit; volgens mij ben je ergens voor op de vlucht,' zegt de man.

Evert schudt zijn hoofd, maar gaat toch op een van de oude matrassen zitten. Hij weet niet meer hoe het verder moet.

'Heb je honger of dorst?' vraagt de man.

'Nee…'

'Als ik het zo hoor kom je uit Nederland?'

Evert haalt zijn schouders op.

'Hier, drink maar wat.' De man geeft hem een fles met sterke drank.

'Daar knap je van op als je zo midden in de nacht loopt rond te zwerven,' zegt de man vriendelijk.

Evert neemt een paar slokken en voelt zich even later wat rustiger worden. Hij krijgt slaap en laat zich achterover vallen op een van de matrassen en valt al snel in slaap.

Vroeg in de morgen als de zon door de fabriekshallen begint te schijnen en Evert zijn ogen opent, kijkt hij vreemd om zich heen. Waar is hij, of is dit opnieuw een droom? Hij weet niet meer wat werkelijkheid is of dat hij in een droomwereld terecht is gekomen.

Dan staat er een man naast hem en vraagt: 'Goed geslapen?'

'Waar ben ik?'

'Kun je geen Duits spreken?'

Evert geeft geen antwoord.

'Waar kom je vandaan. Wie ben je?'

'Weet ik niet…' antwoordt Evert met een zachte stem.

'Als jij niet wilt zeggen wie je bent, dan ben je ergens voor op de vlucht. Heb ik het goed?'

Evert schudt zijn hoofd.

'Wij zijn hier eigenlijk allemaal ergens voor op de vlucht. Je hoeft niet bang te zijn. Je bent hier bij een goed soort mensen,' zegt de man. Hij geeft hem een hand, stelt zich voor als Frits en vraagt opnieuw: 'Hoe heet jij?'

'Jan…' antwoordt Evert, omdat hij de laatste tijd zo in het ziekenhuis genoemd wordt.

'Dat is een echte Hollandse naam. Ik heb veel Nederlanders gekend. Het zijn beste mensen, alleen wat gierig. Je krijgt van die lui geen cent los.'

Evert laat de man maar praten. Hij staat op en wil weggaan.

'Waar wil je heen?'

'Naar huis...'

'Terug naar Nederland?'

Evert knikt.

Frits gaat voor hem staan en zegt: 'Nou moet jij eens goed naar mij luisteren, vriend.'

'Nee ik...' stottert Evert. Hij voelt een soort dwang in zich om hier weg te komen bij deze mensen.

'Blijf staan en luister, of kun je geen Duits verstaan? Ik kan ook wel een beetje Nederlands of wat voor taal wil je horen?'

'Laat mij met rust,' antwoordt Evert wat gebrekkig. Hij kan de woorden nog niet goed uitspreken. Toch heeft hij de laatste tijd van Irma weer wat leren praten. Ze heeft op allerlei manieren haar best gedaan en daar heeft hij nu wat profijt van, al gooit hij nog steeds veel woorden door elkaar. Ook gebruikt hij korte zinnen. In half Duits en half Nederlands. Maar vannacht heeft hij in een droom zijn vrouw en zijn dochtertje gezien. Dat geeft hem dan ook een dwang om terug te keren naar het verleden, maar die macht heeft hij zelf niet.

'Man, je staat gewoon te dromen,' zegt Frits als hij Evert zo in gedachten ziet staan.

'Nee... ik terug naar mijn vrouw...'

'O... ben je weggelopen van je vrouw?'

Evert knikt en denkt: Dat zal het zijn... hij is misschien weggelopen van zijn gezin, maar waar moet hij ze zoeken, dat kan hij niet meer terugkrijgen. Hij weet nu dat hij een vrouw heeft en een dochtertje.

Terug naar het ziekenhuis? Nee, dominee Handel en Irma waren wel aardig en deden veel voor hem en wilden hem ook terugbrengen naar zijn gezin, maar zij kunnen hem ook niet terugbrengen naar zijn verleden. Hij kon er niet meer tegen dat de artsen hem vervelende vragen stelden. Ze gingen hem Jan noemen en soms kreeg hij het gevoel of ze dachten dat hij niet goed bij zijn hoofd was voordat hij in elkaar werd geslagen. Hij kon er zich ook niets meer van herinneren. Hij ging zich minderwaardig voelen en kende zichzelf niet meer. Nu is hij in een fabriekshal bij vreemde mensen. Ze zien er wat smerig uit wat hun kleding betreft en de meesten hebben zich in dagen niet gewassen of geschoren. Alleen Frits ziet er wel netjes uit.

'Zeg Jan... sta jij altijd zo te dromen? Vertel wat er met je aan de hand is. Frits kan je misschien wel ergens mee helpen. Je bent nog jong en bent ergens voor op de vlucht... Heb ik het goed?' vraagt Frits in wat gebrekkig Nederlands.

'Ga zitten man, van staan word je moe en wij moeten eens goed met elkaar praten.'

'Waarom...?'

'Je zit in de problemen. Zeg ik dat goed?'

Evert knikt.

'Vertel...'

'Kan niet goed', zegt Evert terwijl hij naar zijn mond wijst.

'Oké, dat had ik al in de gaten, maar je had het over je vrouw.'

'Ja...'

'Je hebt geen ring om?'

'Nee... in het ziekenhuis...'

'Dus je komt uit het ziekenhuis. Ben je ziek?'

Evert knikt en schudt dan weer met zijn hoofd. Hoe moet hij het deze man uitleggen, hem zeggen dat hij zelf niet weet wie hij is. Ze noemen hem Jan en hij weet door zijn trouwring dat zijn vrouw Suze heet. Toen was daar die droom vannacht, die hem wat uit zijn verleden liet zien. Hij is iemand zonder verleden, maar dat bestaat niet. Hij moet een verleden hebben. Vaak heeft hij last van zijn ziel die hem aanklaagt een zondaar te zijn, maar hij kent zijn zonde niet.

Hij hoorde de artsen uitleggen dat geheugen en geweten uit elkaar liggen. Geheugen heeft met verstand te maken en dat is hij door die trappen tegen zijn hoofd kwijtgeraakt. Het geweten is geestelijk volgens dominee Handel, dat heeft niets met geheugen te maken. Het geweten blijft een mens zijn leven lang aanklagen, ook al is het geheugen uitgewist.

Het is allemaal zo moeilijk voor hem. Vooral als hij last heeft van zijn geweten en van de zonden die hij niet meer weet, maar er toch moeten zijn geweest in zijn leven, anders was hij niet steeds zo verdrietig. Hij leeft wat zijn verstand betreft alleen in het heden. Soms komen er dingen zoals zijn trouwring en die droom hem te hulp, maar verder komt hij niet terug in het verleden.

Frits heeft al snel in de gaten dat deze man niet helemaal in orde is.

'Heb je soms in een gesloten afdeling gezeten in het ziekenhuis en zag je kans om te vluchten?'

Evert kijkt hem aan en denkt: hoe kan die man dat weten.

'Heb ik het goed?'

Evert knikt.

'Zit het hier niet goed?' vraagt Frits, terwijl hij naar zijn hoofd wijst.

Evert geeft geen antwoord. Er lopen tranen over zijn wangen.

'Heb ik je ergens pijn mee gedaan… zo bedoel ik het nou ook weer niet, man…' zegt Frits, terwijl hij hem een klap op zijn schouder geeft. Hij loopt weg om een poosje later terug te keren met voedsel in zijn hand.

'Hier heb je een boterham en drink maar wat, dan word je wat vrolijker. Je moet je niet in de put laten duwen door die zielenknijpers in dat ziekenhuis. Ze mankeren vaak zelf wat in hun hoofd,' lacht Frits. Nu moet Evert ook een beetje lachen.

'Het komt best goed met jou. Je moet maar zo denken: Er is niemand op deze planeet volmaakt, bij iedereen zit er wel wat los in zijn bovenkamer.'

Evert eet zijn boterham op en neemt een paar slokken wijn uit de fles, waar hij weer wat van opknapt.

Dan haalt Frits uit een rugzak een kleine accordeon en zegt: 'Dit is mijn kind. Zal ik een deuntje voor je spelen? Ik weet het al... jij komt uit Nederland. Dit zal jou goed in de oren klinken. Dan speelt hij het liedje Tulpen uit Amsterdam.

Evert moet lachen en probeert wat mee te zingen, maar dat lukt hem niet goed door zijn spraakgebrek.

'Kun jij niet zingen?' vraagt Frits als hij stopt met het spelen.

'Nee...'

'Je kunt ook niet goed spreken. Ben je daarom in dat ziekenhuis opgenomen?'

'Ja... ongeluk... straat... mij trappen... ik niet goed weten.

'Trappen?'

'Ja... ik hoofd niet goed...' legt Evert uit, die niet alles meer weet van die bewuste avond. Hij moest het in het ziekenhuis van anderen horen toen hij uit coma kwam. 'Heb je zin om met mij mee te gaan?'

'Waar...?'

'Naar de stad. Het is vakantietijd en er zitten hier veel vakantiegangers. Misschien kom je nog wat landgenoten tegen,' lacht Frits.

Ze lopen het oude fabrieksterrein af richting het centrum en komen later aan in een drukke winkelstraat. Ze hebben twee opklapbare krukjes bij zich die Evert moet dragen, want Frits heef al genoeg aan zijn accordeon, die hij met een riem over zijn rug draagt.

Ze gaan op een hoek van een winkelstraat zitten. Frits haalt zijn accordeon tevoorschijn en legt een oude pet met wat muntgeld voor hen neer. Er komen mensen voorbij die vrolijk tegen hen lachen en sommigen blijven staan en zingen mee.

Evert weet niet wat hij moet doen en wil opstaan om toch maar weg te gaan. Hij voelt zich een bedelaar als hij ziet dat mensen geld in de pet gooien.

Dan komt er een klein meisje op hem af; het is een kind van ongeveer vijf jaar. Ze lacht tegen hem en zegt in het Nederlands: 'Jij moet ook zingen.'

'Tanja…? Nee dat kan niet…'

'Nee, ik heet Ankie,' antwoordt het kind vlot.

'O…' zegt Evert wat verlegen.

'Ben jij de papa van Tanja?'

'Ja…' antwoordt Evert verbaasd.

'Moet jij niet naar Tanja toegaan? Wij zijn op vakantie… jij ook?' vraagt het kind vlot.

'Ja, vakantie,' antwoordt Evert verlegen.

Dan gaat het kind met haar ouders verder.

Frits stopt met het spelen en zegt: 'Dat waren zeker landgenoten van je?'

Evert knikt.

Dan komt er een meisje voorbij. Ze kijkt naar de twee mannen en schrikt. Ze stapt van haar fiets en loopt met de fiets aan haar hand naar hen toe.

'Wat moet jij hier?' vraagt het meisje verbaasd.

'Irma…' zegt Evert verbaasd en geschrokken.

'Waarom zit jij hier?'

'Mijn vriend,' zegt Frits die wel het woord voor Evert zal doen.

'Ben je weggelopen uit het ziekenhuis?'

Evert knikt.

'Wil je niet mee terug?'

Evert schudt opnieuw zijn hoofd.

'Dus je hoorde bij deze man?'

'Ja…'

'Oké, ik zal dominee Handel de groeten van je doen.'

'Ja…' antwoordt Evert wat verlegen.

Ze stapt op haar fiets en rijdt door naar het ziekenhuis.

Als Irma in het ziekenhuis is, loopt ze meteen naar het kantoortje van dominee Handel. Ze klopt op de deur.

'Ja, binnen.'

'Heeft u even tijd voor mij?'

'Kom maar binnen. Een dominee is vierentwintig uur in dienst van zijn Heere,' zegt de dominee vrolijk, maar hij ziet dat Irma niet zo vrolijk kijkt.

'Ga zitten… gaat het over onze Jan uit Nederland?'

'Ja…'

'O wacht, ik heb zijn ring terug. Kijk, ze hebben er een stukje tussengezet. Nu kan hij hem weer omdoen en gaan we even uitzoeken wie die vrouw van hem is.'

'Dat hoeft niet meer dominee.'

'Waarom niet?'

'U gelooft het niet.'

'Wat moet ik niet geloven?'

'Ik was op weg hierheen en toen hoorde ik accordeonmuziek en fietste voorbij, maar u gelooft het niet wie daar zat… Jan de Hollander…'

'Wat zeg je mij nou… eerlijk?'

'Echt waar… u gelooft het niet,' zegt Irma, die er nog vol van is.

'Dus hij speelt accordeon?'

'Nee, hij zat naast de man die speelde.'

'Wat moet hij bij die man?'

'Weten ze hier al dat hij weg is,' vraagt Irma.

'Maar dat weet ik ook niet… wacht, ik zal even bellen.'

Er volgt een gesprek met de arts van de afdeling. Als hij de hoorn terug op het toestel legt, zegt hij wat verdrietig: 'Hij is er vannacht vandoor gegaan. Ze hebben het vanmorgen ontdekt. Zijn bed was leeg en zijn kleren waren weg. Hij moet door een van de ramen van een kantoor zijn geklommen, het stond nog wijd open.'

'Moet hij dan niet terug?'

'Nee, volgens de arts is hij uit vrije wil weggegaan. Ze denken dat hij voor die mishandeling al zwerver was en nu weer naar zijn oude leven is teruggekeerd.'

'Gelooft u het?'

'Hij is een Nederlander en geen zwerverstype. Maar je doet er niks aan als hij niet terugwil en het is de vraag of ze hem hier weer op willen nemen. Ik ben bang van niet,' zegt dominee Handel wat bedroefd.

'Jammer, hij ging juist de laatste tijd zo vooruit met praten,' zegt Irma.

'Maar uit zijn verleden konden wij geen wijs worden en de artsen konden hem ook niet meer verder behandelen. Nu denken ze dat het niet door die trappen tegen zijn hoofd is gekomen. Ze denken dat hij al een hersenbeschadiging had voor hij in elkaar is getrapt en al zwak begaafd was. Hij is een van de vele zwervers in ons land.'

'Maar die ring van zijn vrouw dan?'

'Ach kind, er lopen zoveel zwervers rond die nog een trouwring dragen, terwijl ze misschien gescheiden zijn. Misschien voelt hij zich nu weer gelukkig, nu hij weer terug is bij zijn vriend die accordeon speelt. Het is zijn eigen leven. Daar kunnen wij weinig aan veranderen. Pieker er niet te veel over,' zegt dominee Handel.

'U kunt wel eens gelijk hebben. Die man met de accordeon noemde hem zijn vriend… dus het kan wel zo zijn dat hij bij hem hoort…' zegt Irma.

9

Ook in Duitsland is de vakantie in volle gang. Irma heeft drie weken vakantie opgenomen. Haar collega neemt haar taak over. Ze gaat met twee vriendinnen naar Nederland. Ze hebben alle drie hun rijbewijs en gaan met de auto van Irma. Ze heeft een Toyota Prius, een hybride, die is ruim en voordelig. Er zit niet alleen een benzinemotor in, maar ook een elektrische die opgeladen wordt door een accu en dan op lage snelheden zo goed als voor niks op de accu rijdt. Het is een auto die ook zeer schoon rijdt. Irma is dan ook milieubewust en heeft een hekel aan stinkende auto's die de lucht verpesten. 'Eigenlijk moest het verplicht zijn alleen met zulke auto's te rijden en op de weg toe te laten,' zegt Irma vaak plagend tegen haar vriendinnen.

'Nou oké, we gaan op vakantie schoon en zuinig rijden,' lacht Gisela naar haar vriendin.

'Dus met jouw auto,' vult Hanna, haar vriendin, aan.

'Wel meebetalen. Hij rijdt niet helemaal voor niks,' antwoordt Irma vlot.

'Wij trakteren je wel af en toe,' voegt Gisela, die snel met haar mond is, er nog aan toe.

'Heb je alles wel goed afgesproken op dat eiland?' vraagt Hanna, terwijl ze de auto volladen met tassen en nog wat klein spul.

'Je bedoelt het eiland Texel in Nederland?'

'Ja… ik heb geen zin om ergens tussen een paar koeien te kamperen,' lacht Hanna vrolijk.

'Jullie weten dat ik erg precies ben met zulke dingen en ik kom al jaren in Nederland in hetzelfde pension.'

'Als het maar niet duur is. Die Hollanders weten de prijs wel en ze kleden je uit als ze de kans krijgen,' zegt Hanna.

'Ze kleden jou niet zo makkelijk uit,' lacht Irma.

'Niet te ver gaan Irma,' grinnikt Gisela.

'Ze vraagt er toch zeker om.'

'Er lopen daar leuke jongens rond,' lacht Irma

'Drie vrijgezellen, dat zal wat worden,' zegt Hanna.

'Als ik een vent neem, dan moet hij knap zijn en rijk en natuurlijk erg lief,' zegt Gisela. Zij is de oudste van de drie en de vijfentwintig al gepasseerd.

'Jij altijd met je geld,' zegt Irma.

'Jij hebt makkelijk praten. Een goede baan met rijke ouders,' antwoordt Hanna.

'Nou geen geklets meer, instappen en snel, op naar Nederland,' zegt Irma. Ze gaat achter het stuur zitten met naast zich Gisela, terwijl Hanna achterin zit met nog wat tassen met broodjes en drinken voor onderweg.

'Is dat wel vertrouwd met Hanna achterin?'

'Waarom?'

'Als ze voorlopig maar van de broodjes afblijft.'

'Dat maak ik zelf wel uit. Kijken jullie maar voor je en let op het verkeer, dan zorg ik wel voor broodjes en drinken als het nodig is onderweg,' antwoordt Hanna.

'Jij rijdt ook een stuk. We hebben afgesproken dat we om de beurt rijden.'

'Ik heb geen verstand van zo'n apart geval.'

'Niet spotten met mijn auto,' zegt Irma met een ernstig gezicht.

'Hoe heet deze auto ook al weer?'

'Prius en het is een hybride,' zegt Irma.

'O ja, dat is waar ook, hij rijdt voor niks. Lekker goedkoop naar Nederland,' lacht Hanna achterin.

'Daar kom je wel achter als we gaan tanken,' antwoordt Irma.

'Dus er moet wel benzine in zo'n bijzondere auto?'

'Dacht je soms dat hij op water loopt?'

'Er zit toch een elektrische motor in?'

'Ik ga het echt niet opnieuw uitleggen,' antwoordt Irma.

'Als we met al dat gedoe maar geen elektrische schokken krijgen onderweg. Je weet het maar nooit met die nieuwe uitvindingen van de Jappen,' plaagt Hanna.

Ze lachen alle drie vrolijk.

Op de Duitse snelwegen gaat het snel. Ze zijn dan ook al vlot bij de grens.

'Zullen we hier eerst een broodje eten?' vraagt Irma, terwijl ze haar auto op het parkeerterrein bij de grens aan de Duitse kant zet.

'Oké... in de auto of buiten daar op dat bankje?' vraagt Hanna terwijl ze al een tas met broodjes wil oppakken.

'Laten we maar lekker buiten gaan zitten,' antwoordt Irma.

'Je bent zeker bang dat we knoeien in je mooie auto,' zegt Hanna, terwijl ze uitstapt en de tas met broodjes en een fles frisdrank pakt.

Ze lopen alle drie naar het bankje en gaan naast elkaar zitten.

Hanna deelt de broodjes uit en ze schenkt voor hen allen een bekertje met fris in.

'Hè, daar ben ik echt aan toe,' zegt Irma terwijl ze haar tanden in het broodje zet.

'Zo gaat dat niet Irma,' zegt Hanna.

'O ja... neem het mij niet kwalijk...'

Ze vouwen alle drie hun handen en zijn even stil.

Na een half uurtje rijden ze in Nederland.

'We hebben geluk. Het is niet erg druk. De meesten gaan de andere kant op.'

'Het lijkt soms wel een soort volksverhuizing. De Nederlanders trekken Duitsland in en wij gaan hun land in. We moesten eigenlijk afspraken maken en dan ruilen met onze huizen in de vakantie,' zegt Hanna achterin.

'Dat doen ook veel mensen. Toch zou ik niet graag vreemde mensen in mijn mooie huisje willen hebben,' zegt Irma.

'Ja, jij bent zo schoon en precies, mij zou het niet kunnen schelen.'

Ze rijden om de beurt en stoppen hier en daar nog en staan dan voor de pont in Den Helder die hen naar Texel moet brengen. Ze rijden dan na een wachttijd van een half uur de pont op, gaan de auto uit en gaan boven op het dek van de grote pont zitten. Het is een prachtige dag in juli.

'We hebben mooi weer zeg.'

'Ik dacht dat het in Nederland altijd regende,' zegt Hanna.

'Dan was jij niet meegegaan naar Nederland,' antwoordt Irma.

'Hoe lang kom je hier al?' vraagt Gisela aan Irma.

'Vroeger al met mijn ouders. Jaren geleden gingen we ook wel eens naar Egmond aan zee. Daar hadden we een huisje gehuurd met nog een familie. Toen was ik ongeveer twaalf jaar, reken maar uit.'

'Twaalf jaar en nu ben je vijfendertig. Ja toch,' lacht Hanna gemeen.

'Als je ruzie zoekt?'

'Je bent toch drieëntwintig als ik het goed heb, je bent nog een jonge blom. Dus je komt hier al heel wat jaren met vakantie.'

'Tussendoor ben ik ook wel vaak naar andere landen geweest, toch gingen we meestal naar Nederland. Je zult het wel merken; in vakantietijd hoor je aan de kust van Nederland veel Duits spreken en dat is erg makkelijk voor ons,' zegt Irma.

'Maar je kunt hier toch ook Engels spreken?'

'Dat kan overal, maar de Nederlanders kennen meestal wel Duits en vooral als je iets wilt kopen, dan spreken ze vlot Duits.

'Dat is meestal overal zo, maar jij spreekt toch een aardig mondje Nederlands?'

'Ja hoor, ik heb pas nog een Nederlandse patiënt in het ziekenhuis gehad. Het was een moeilijk geval,' zegt Irma.

'Moest jij hem Nederlands leren? Nee toch?'

'Dat niet… hij is zijn geheugen kwijt en kan bijna geen woord meer spreken. Ze hebben hem in elkaar geslagen en tegen zijn hoofd getrapt. In het ziekenhuis denken ze nu dat het om een zwerver gaat. Hij is het ziekenhuis uitgevlucht en zwerft nu door de stad met een muzikant,' legt Irma uit.

'Dus het was een buitenlander?'

'We wisten het niet zeker. In het begin kon hij geen woord uitspreken en probeerde ik het met de computer. Ik stelde wat vragen op de computer, maar hij begreep er niks van. Totdat hij het woord zondaar intoetste. Verder was het wel een warboel. Ik zag ook een keer dat hij zijn handen vouwde voor hij ging eten. Toen heb ik er de predikant van het ziekenhuis bijgehaald en die zag ook net als ik het woord zondaar staan. De dominee zag dat hij een trouwring om had en daar stond een naam en een datum in,' legt Irma uit.

'Dus hij is getrouwd of hij heeft een vriendin?' vraagt Gisela.

'Toen hij de naam van zijn vrouw zag, begon hij te huilen. Hij was helemaal in de war.'

'Wat zielig zeg… en toen?'

'De nacht daarna is hij gevlucht door een van de ramen van een kantoor.'

'Hebben jullie de politie niet gewaarschuwd?'

'In het begin wel omdat hij in die nacht in elkaar getrapt was.'

'Kon de politie niet achter zijn herkomst komen?'

'Nee… hij had geen papieren bij zich.'

'En de artsen in het ziekenhuis die hem behandelden?'

'Die hadden het in het begin over retrograde amnesie, dan

kun je door een paar flinke klappen tegen je hoofd je geheugen kwijt raken. Maar ze kwamen erop terug en mocht ik hem wat therapie geven om te proberen hem aan het praten te krijgen. Maar het lukte mij ook niet om zijn herkomst op te sporen. Dominee Handel van het ziekenhuis heeft ook van alles geprobeerd, maar men denkt nu dat hij een zwerver is die met een muzikant in de stad rondzwerft,' legt Irma uit.

'Jij hebt best een spannend beroep, zeg.'

'Zoiets had ik ook nog nooit meegemaakt. Meestal lukt het mij aardig om mensen weer op de been te helpen na een ongeval,' zegt Irma.

'Toch vind ik het hier best wel griezelig op zo'n boot. Als je al die auto's onder in de boot ziet staan en al die mensen… Als er wat gebeurt, dan moet je in de zee duiken en naar Den Helder of Texel zwemmen,' zegt Hanna met een wat angstig gezicht als ze over de reling van de pont hangt.

'Doe even gewoon jij met je bangmakerij.'

'Nou, het is wel eens gebeurd dat zo'n pont zonk in zee.'

'Er is geen storm en er zijn veel reddingsboten aan boord. Kijk daar boven,' zegt Irma.

'Denk jij dat al die mensen in die kleine bootjes kunnen?'

'Dan komt er snel hulp van de kustwacht om ons te redden,' legt Irma uit.

'Makkelijk praten, ik heb liever vaste grond onder mijn voeten.'

'Jij moet eens vaker gaan varen.'

'Mij niet gezien. Geef mij maar een vliegtuig… waarom gingen we hier niet heen met een vliegtuig?' vraagt Hanna.

'En mijn auto dan?' zegt Irma.

'Ik bedoel om vanuit Duitsland naar Nederland te vliegen. Dan ben je op Schiphol dicht bij Amsterdam, dat lijkt mij ook wel wat,' begint Hanna weer.

'Zal ik aan de kapitein vragen of hij je mee terug wil nemen naar Den Helder, dan kun je zo met de trein naar Amsterdam en dan kun je daar de duiven op de Dam voeren. Echt iets voor jou,' zegt Gisela.

'Als we daar in dat pension zijn, dan kunnen we toch wel eens naar die grote stad gaan?'

'Den Helder is ook gezellig, joh en er zijn hier veel mannen die bij de marine werken. Misschien sla je wel een kapitein aan de haak en kun je elke dag gaan varen met hem. Je weet wel op zo'n groot oorlogsschip,' lacht Irma.

'Nee liever niet... ik houd niet zo van de zee,' zegt Hanna.

'We zijn er... kom op, we moeten naar onze auto.'

Ze gaan de trap af en stappen in hun auto en rijden de boot af.

'Dus we zijn nu op het eiland Texel?'

'Ja hoor. We gaan eerst naar ons pension,' zegt Irma, die achter het stuur zit.

Ze rijden naar Den Burg, de grootste plaats van Texel.

'Wat weet jij hier goed de weg zeg...'

'Dit is voor mij niet de eerste keer, zoals jullie weten.'

'Gaat het jou hier dan niet vervelen?'

'Nee hoor. Je kunt hier genieten van de zee en je kunt ook af en toe naar het vaste land. Den Helder is een gezellige stad.'

'Ik krijg er nu ook zin in,' lacht Hanna vrolijk.

Ze stoppen voor het pension en pakken hun koffers en rugtassen uit de auto. Als ze naar de ingang van het pension lopen, wordt de deur geopend door een vrouw die hen vriendelijk in het Duits begroet.

'Dus je hebt een paar vriendinnen meegebracht?' vraagt de vrouw.

'Ze zijn niet zo makkelijk als ik ben hoor. U mag ze best wel goed in de gaten houden,' zegt Irma in het Nederlands.

'Wat klets je nu allemaal?' vraagt Hanna.

'Dat jullie erg verlegen zijn en bang voor jonge mannen,' grapt Irma.

'Wat gemeen zeg... heb je dat echt gezegd?'

'Ja hoor,' liegt Irma, die er plezier in krijgt.

Ze krijgen een grote kamer met ieder een eigen bed en kasten voor hun kleren.

'Als jullie klaar zijn en je wat hebt opgefrist, komen jullie maar naar beneden voor een maaltijd met echte Hollandse koffie,' zegt de vrouw.

'Graag,' antwoordt Irma.

Ze laten zich op het bed vallen.

'Ik ga eerst lekker een poosje slapen,' zegt Hanna.

'Niks slapen. Tassen en koffers uitpakken en je spullen in de kasten doen. Nadat we ons hebben opgefrist gaan we naar beneden voor de lunch. Ze zorgen hier goed voor je,' zegt Irma.

'Mag ik echt niet eerst wat uitrusten; ik ben zo moe,' zeurt Hanna opnieuw.

'Dan krijg je voorlopig niks te eten, als je daar dan maar rekening mee houdt,' antwoordt Irma kort terwijl ze druk bezig is haar koffer uit te pakken en haar kleren in een van de kasten hangt.

Na het diner gaan ze 's avonds nog wat wandelen langs het strand.

'Wat heerlijk zeg, zo'n zoel windje. Zullen we hier even gaan zitten en genieten van de zonsondergang?'

'Oké... ben je niet bang dat je rok in de kreukels komt?' vraagt Hanna.

'Kijk jij maar naar je eigen jurk,' plaagt Irma terug.

'Zullen we in een winkel in Den Burg een spijkerbroek kopen of een korte broek?' vraagt Hanna met een gemeen lachje.

'Als jij daar zin in hebt, dan kan ik jou niet tegenhouden,' antwoordt Irma.

'Heb jij wat tegen broeken?'

'Ik heb niks tegen broeken in het algemeen, maar een vrouw hoort niet gekleed te gaan als een man,' antwoordt Irma.

'Het ligt niet aan een broek en het zijn trouwens vrouwenbroeken.'

'Als jij er zo over denkt, dan moet je dat gewoon doen.'

'Waarom ben je zo pinnig?'

'Omdat ik een hekel aan mensen heb die als ze uit hun woonplaats weg zijn er dan andere normen en waarden op na houden, iets dat ze thuis nooit zouden doen,' legt Irma uit.

'Toch zijn er veel vrouwen van onze kerk die een broek dragen,' begint Hanna opnieuw.

'Hanna, je moet niet zo zeuren,' zegt Gisela, die bang is dat ze ruzie krijgen.

'Ik mag toch wel vragen hoe jullie erover denken. Je ziet hier bijna geen vrouw met een rok of een jurk.'

'Dat valt wel mee. Er zijn hier campings waar een vrouw geen broek mag dragen en mannen geen korte broek.'

'Maak dat de kat wijs,' lacht Hanna.

'Oké... morgen gaan we wel even bij zo'n camping kijken. Ik ken er wat mensen en ben er vroeger wel eens met mijn ouders geweest. Of het nog zo is, dat weet ik niet zeker. Als er een andere campingbaas komt, kunnen er ook andere regels komen.'

'Dat zou kunnen.'

'Kom... dan gaan we daar in dat restaurant in de duinen een kopje koffie drinken.'

'Daar heb ik best zin in,' zegt Hanna, die gelijk overeind springt en het zand van haar jurk afklopt.

'Kijk je een beetje uit. Ik heb net mijn haar gewassen,' zegt Irma.

'Doe een hoofddoekje om, dat is tegenwoordig heel erg in,' lacht Hanna.

'Toch zie je hier niet veel vrouwen met een hoofddoekje, zoals bij ons.'

'Je bedoelt dat hier niet zoveel buitenlanders komen?'

'Bij ons in Duitsland is het gewoon.'

'Hier in Nederland ook wel, dat zul je wel zien als je in Den Helder komt.'

'Zullen wij het ook doen, lijkt mij best apart,' begint Hanna weer.

'Kun jij niet een uurtje normaal doen?' zegt Gisela, die merkt dat Irma het niet zo leuk meer vindt.

'Oké, mag ik nog een grap maken?'

'Dat zijn geen grappen meer.'

Dan stappen ze het strandrestaurant binnen en gaan buiten op het terras zitten.

'Wat prachtig is het hier zeg. Je kijkt hier zo naar de zee. Holland is best een mooi land. Het is wel vlak, maar het heeft toch zijn schoonheid. Vooral de zee en dit eiland zijn ook erg mooi,' zegt Hanna vol overtuiging.

Er ligt een krant bij hen op het tafeltje die achtergelaten is door iemand. Gisela pakt de krant. Het is een krant van een paar dagen geleden.

'Kun jij Hollands lezen?' vraagt Gisela.

'Jawel... hoezo?'

'Moet je eens zien...'

Irma pakt de krant en wordt lijkwit. Ze ziet een foto en daar staat boven: Vermist, herhaalde oproep.

'Dat is hij... dat is die man bij ons...' zegt Irma verbaasd.

'Wie bedoel je?'

'Die man waar ik jullie over vertelde... hij moet het zijn. Hij is bij zijn vrouw en dochtertje in overspannen toestand weggelopen...' leest Irma voor.

'Staat er een telefoonnummer bij, anders kun je het ook

bij de politie melden,' zegt Gisela ernstig tegen haar vriendin.

'Ja... ik neem deze krant mee en praat er eerst met de pensionhoudster over,' zegt Irma.

10

Wie ben ik, piekert Evert, terwijl hij door de straten van het kleine stadje loopt in Duitsland. Hoe ben ik hier terechtgekomen. Ik moet toch ouders en familie hebben. Alleen toen ik uit die coma kwam, is mij verteld dat ik op straat ben gevonden, terwijl ik zwaar gewond aan mijn hoofd was. Wat is er met mij gebeurd? De artsen in het ziekenhuis kunnen mij ook niet helpen. Ze leren mij een beetje praten als een kind, terwijl ik een volwassen man ben. Ze noemen mij Jan omdat ze denken dat ik uit Nederland kom en die taal spreek ik van kinds af aan, maar er moet toch meer zijn. Ik ben een volwassen man van ongeveer dertig, piekert Evert.

Dan loopt hij door een straat waar ze met nieuwbouw bezig zijn. Hij ziet twee mannen met kozijnen lopen en even later ziet hij dat ze de kozijnen aan het stellen zijn. Hij blijft kijken of ze het wel goed doen. Hij ziet dat ze met een hamer en een duimstok bezig zijn en ze houden er een waterpas tegen. Hij loopt naar de mannen en zegt: 'Die niet goed staan…'

'Waar bemoei jij je mee, we hebben hier al een paar bazen rondlopen die ons de hele dag achterna zitten. Hoepel op man!' zegt een van de mannen, terwijl hij het zweet van zijn hoofd veegt.

Evert blijft staan kijken. Zijn handen jeuken om die twee mannen te helpen. Hij voelt als het ware de hamer in zijn handen. Heeft hij vroeger hier wat mee te maken gehad… is hij timmerman geweest of iets anders in de bouw? Hij ziet beelden voor zich die hem bekend voorkomen.

Dan komt er een opzichter van de bouw naar hem toe en gebiedt hem het terrein te verlaten. Evert gaat terug naar de straat, maar voelt een stukje uit het verleden terugkomen.

Waarom gaat hij niet zelf op zoek naar zijn verleden? Het zoeken naar wie hij is. Heeft hij dan echt een hersenbeschadiging opgelopen, zodat het verleden is uitgewist? Toch is er in hem iets dat ze geweten noemen. De pijn uit het verleden. Hij kan het geen plaats geven. Soms moet hij zomaar huilen omdat hij zich schuldig voelt en dan doet het vanbinnen zo'n pijn. Er is iets vreselijks met hem gebeurd en dat komt niet alleen door die trappen tegen zijn hoofd. Wie is hij en wat is zijn verleden. Heeft hij vroeger iets vreselijks gedaan? Hebben die jongens hem daarom in elkaar getrapt? Nee, dat kan volgens de arts niet. De artsen wisten geen raad met hem en denken nu dat hij vroeger al zo geweest moet zijn. Hij vluchtte uit het ziekenhuis en kwam bij Frits in de fabriekshal terecht, waar hij nu woont. Toch moet er wat in het verleden gebeurd zijn. Toch denken ze dat hij uit Nederland komt en dat hij beter terug kan gaan, maar wat moet hij daar zonder papieren? Frits, zijn vriend, heeft hem veel over Nederland verteld en ze zingen vaak samen liedjes waar hij er sommige van kent uit zijn verleden. Hij moet ze vroeger toch geleerd hebben, volgens Frits.

Dan voelt hij een hand op zijn schouder en een stem zegt: 'Weer in dromenland, Jan?'

Hij ziet dat het Frits is. Hij is weer wakker geschud in het heden. Er is een soort angst naar het verleden en toch ook een weten. Een soort verlangen te weten wie hij is, maar het is er niet. Het is gewoon uitgewist als op een harde schijf van een computer.

'Ga je mee?' vraagt Frits.

Zonder antwoord te geven volgt Evert hem.

'Het is al laat. We hebben vandaag niet veel geld verdiend en niet genoeg om een maaltijd te kopen. Het wordt tijd dat je ook wat gaat verdienen,' zegt Frits, die er elke dag op uit trekt met zijn accordeon.

'Laat mij maar teruggaan,' zegt Evert kort.

'Nee man, zo bedoel ik het niet. Je weet: het geld ligt op straat, als je het maar wilt zien.'

Ze lopen naar een snackbar en kopen daar een paar beleg-
de broodjes en drinken er een kopje koffie. Als er betaald
moet worden haalt Frits wat los geld uit zijn zak en telt het
geld uit op de toonbank.

'Kom, dan gaan we terug naar ons kasteel.'

'Waar gaan naartoe...' zegt Evert, die nog geen goede
zinnen kan formuleren.

'Man, je loopt de hele dag te dromen.'

'O...'

'Wat moest je daar bij die kerels van de bouw doen? Die
kerel wilde je wegjagen.'

Evert haalt zijn schouders op, blijft staan en zegt met een
zachte stem: 'Ik dat werk kennen... timmerman...'

'Ja, stenen sjouwen zeker op de bouw,' zegt Frits met een
glimlach op zijn gezicht.

'Nee... duimstok...'

'Timmerman... denk jij dat je timmerman bent?'

'Ja... ik timmerman...'

'Waarom gaan we niet eens kijken waar je vandaan
komt... je weet al veel uit je verleden. Nu heb je het weer
over de bouw. Dus je bent timmerman geweest?'

'Niet zeker weten... maar het gevoel...'

'Je bent een dromer en hier vanboven is er iets mis in je
hoofd. Je kunt beter weer terug gaan naar het ziekenhuis,
naar zo'n zielenknijper? Hij zou hem graag willen helpen,
maar weet ook niet hoe hij dat aan moet pakken.

Als ze weer terug zijn in de fabriekshal en op hun matras
gaan zitten, haalt Frits een mondharmonica uit zijn zak.

'Hoe jij aan komen?' vraagt Ernst, die niet anders weet
dan dat Frits alleen op zijn accordeon speelt.

'Heb ik op de markt gekocht. Moet je maar eens horen...'

Dan speelt Frits een paar oude Nederlandse liedjes die hij
wel eens vaker op zijn accordeon speelt als er Nederlandse
toeristen op de markt of in de winkelstraat zijn.

Evert kijkt hem met grote ogen aan en steekt zijn handen naar hem uit.

'Wat heb je nou weer… word je niet goed of zo. Je ziet zo wit en kijkt mij aan alsof je een wonder ziet gebeuren,' zegt Frits terwijl hij zijn mondharmonica schoon klopt op zijn been.

'Die…' zegt Evert. Het komt hem erg bekend voor.

'Je bedoelt de liedjes die ik speel, ja, dat zal jou wel bekend voorkomen. Het zijn echt Hollandse liedjes uit de oude doos.'

'Nee… ik…'

'Wat moet jij ermee. Je wilt toch niet zeggen dat jij wilt spelen?'

'Ja… proberen…'

'Nee man…'

'Geef mij,' smeekt Evert.

'Rustig jij. Ik laat niet iedereen op mijn mondharmonica spelen. Je maakt dat ding alleen maar vals. Je koopt er zelf maar een en ik vind het echt niet fijn als jij erop zit te zeveren.'

'Ik proberen.'

'Je zult er wel eens iemand op hebben zien spelen, bedoel je dat?'

'Ja toch proberen.'

'Wat proberen?'

'Jij mij geven en jij zelf horen.'

'Koop er morgen zelf maar een.'

'Ik geen geld hebben.'

'Oké, als jij denkt dat je erop kunt spelen, dan mag je hem houden en koop ik morgen wel weer een ander voor mijzelf,' zegt Frits terwijl hij de mondharmonica aan Evert geeft.

Evert bekijkt het instrument als een klein kind dat speelgoed heeft gekregen en zet het dan aan zijn mond. Er komen wat vreemde geluiden uit.

'Man, je maakt er niks van,' lacht Frits.

Maar dan klinkt er ineens een liedje. Frits kijkt hem verbaasd aan en ziet dat er onder het spelen tranen over Evert zijn wangen lopen. Als Evert ermee stopt zegt Frits: 'Prachtig man... waar heb jij dat geleerd?'

Evert buigt zijn hoofd en snikt: 'Het is nog van vroeger... ik niet precies meer weten... ik zoeken moet.'

'Rustig maar jongen... je kunt wel eens gelijk hebben. Ik was een keer in een verpleeghuis, daar was een man die dement was en hij kon prachtig piano spelen. Dat kwam ook terug uit zijn verleden. Het zou bij jou ook kunnen,' legt Frits uit.

Evert zet opnieuw de mondharmonica aan zijn mond en speelt nog een paar Nederlandse liedjes.

'Prachtig man...' zegt Frits, die zich nog steeds verbaast.

Evert bekijkt de mondharmonica in zijn handen en lacht dan vreemd.

'Wat is er?' vraagt Frits.

'Dat ik het kan.'

'Dat heb je nog van vroeger. Je hebt vroeger vast ook op zo'n ding gespeeld.'

'Nee... ik niet herinneren.'

'Toch is het zo. Ik vertelde je van die man in dat verpleeghuis. Die was echt erg dement, maar als hij achter de piano zat, was iedereen stil. Die man kon prachtig spelen en hij deed alles uit zijn hoofd. Maar gaven ze hem een lied op, dan kon hij het niet. Hij speelde alleen alles van vroeger. Ik hoop als ik oud mag worden, ook nog te kunnen spelen,' zegt Frits wat emotioneel.

'Maar jij niet begrijpen... ik jou zien met mondharmonica toen ik voelde dat ik het kon,' legt Evert gebrekkig uit.

'Wij gaan morgen samen grof geld verdienen. Ik met mijn accordeon en jij met je mondharmonica... ja toch?'

'Mag ik hem dan houden?'

'Als je belooft samen met mij te spelen in de stad en op de markt. Je moet natuurlijk ook wat Duitse liedjes leren.'

'Ja, ik proberen.'

'Oké, dat komt later wel, maar nou nog wat anders... als jij gaat eten of slapen, dan vouw jij je handen, bid jij dan echt?'

'Ja...'

'Dus je bent gelovig opgevoed of zo?'

'Dat zal wel... ik vanbinnen voel dat God er is en dan ik...' Verder komt Evert niet, want dan zijn er weer de tranen.

'Wat is er nou?' vraagt Frits, die er bewogen van wordt en ook snel een traan wegveegt. Hij heeft veel in zijn leven meegemaakt, maar zoals deze man is... Hij heeft zo'n zacht karakter, net als een kind. Toch worstelt hij met een verleden dat hij niet kan achterhalen en waarbij steeds nieuwe stukjes naar boven komen. Zoals vanmiddag toen hij die bouwvakker wilde helpen en vermoedde dat hij vroeger timmerman is geweest.

Nu weer dat geval met die mondharmonica en niet te vergeten dat vreemde, dat bidden en dan vaak moeten huilen. Heeft hij een slecht geweten en doet hij boete door te bidden? Dat gebeurt wel vaker bij gelovigen. Er zijn mensen die heel hun leven verdrietig zijn door de zonde die ze gedaan hebben. Dat komt omdat ze in God geloven en denken dat God het niet wil vergeven. Hij heeft een vrouw meegemaakt die zich van het leven beroofde. Het was een vrouw van de wereld. Toen greep God in... of was het de duivel? Ze verhing zich. Wie weet wat er bij deze Hollander allemaal door het hoofd speelt. Hij mag hem wel wat beter in de gaten houden.

'Jij zegt dat je gelooft?'

'Ja...'

'Waarin?'

'Dat heel moeilijk voor mij... het zit in mij... ik kan niet uitleggen... ik vaak verdrietig en zondaar voelen hier van-binnen...' zegt Evert, terwijl hij op zijn hart wijst.

'Toch speel je allemaal Hollandse straatliedjes en geen Psalmen.'

'Nee... ik ook niet begrijpen.'

'Kun je dat niet?'

'Ik niet weten.'

'Probeer het eens.'

'Nee, ik niet mag.'

'Maar je bidt wel en toch ken je geen psalmversjes...'

'Zal nog wat proberen...'

Dan ineens is er een kinderliedje dat hij speelt: Scheepje onder Jezus hoede.

'Prachtig man... dat was een echt christelijk liedje, dat kun je beter op straat niet spelen...'

'Toch ik niet begrijpen... ik vanbinnen verdrietig wor-den...'

'Het wordt tijd dat we wat gaan slapen,' zegt Frits. Hij pakt de fles wijn, neemt een paar slokken en geeft dan de fles aan Evert, waarna hij gaat liggen. Evert blijft lang wakker en piekert terwijl Frits naast hem hevig snurkt.

Wie ben ik... hoe kan dit... spelen op een mondharmoni-ca... het ligt zo dicht bij het verleden... maar het is niet te grijpen... Dan denkt hij aan die mensen in de bouw. Gek, hij zou zomaar die kozijnen plaatsen als hij er de kans voor kreeg. Hij voelde als het ware de hamer, duimstok en water-pas in zijn handen. Het kwam hem allemaal zo bekend voor. Zou dat vroeger zijn werk zijn geweest? Waarom kan hij er niet opkomen en heeft hij er geen antwoord op. Moet hij zo verder leven... het is niet eerlijk... O God... U die mij kent, help mij toch. U weet alle dingen. Zijn geweten maakt hem zo vaak verdrietig, maar hij weet niet waarom. Heeft het met zijn verleden te maken... die vrouw en dat kind dat hij in zijn droom ontmoette en haar naam die in zijn ring stond: Suze... wat heeft hij met Suze... ach wist hij het maar... Hoe moet het nu verder met mij: Heere God wie ben ik...?'

Dan valt Evert ook in een diepe slaap. Hij ziet een oude man die ook mondharmonica speelt. Het is zijn opa die zegt: 'Kom jongen, dan zal ik jou ook leren spelen. Goed zo, je kunt het al aardig.' Dan ziet hij een pakje... hij is jarig... hij maakt het open. Het is een nieuwe mondharmonica. Hij speelt er veel op. Het zijn straatliederen uit opa's tijd. Ook gaat hij later, als hij een meisje heeft, liedjes spelen. Hij mag het van haar niet meer. Het is niet goed voor hem...' zegt ze.

Als Evert midden in de nacht wakker wordt, gaat hij rechtop zitten op zijn matras en denkt over zijn droom na.

'Wat is er met jou?' vraagt Frits.

'Ik kan niet slapen.'

'Ben je ziek?'

'Nee...'

'Wat is er dan jongen?' vraagt Frits terwijl hij een kaars aansteekt en ze elkaar zo kunnen zien.

'Nu ik denken dat weten van mondharmonica...' zegt Evert.

'Wat weet je dan?'

'Mondharmonica leren spelen van opa...'

'Jij moet niet zo liggen piekeren. Heb je nog steeds niet geslapen?'

'Ja... maar ik dromen... Het was echt...'

'Vertel, jongen.'

'Mijn opa... hij oude man... hij mij leren... kreeg op mijn verjaardag mondharmonica... het was echt... ik zeker weten hij mij steeds leren. Ik er veel op spelen... toen een meisje zeggen niet goed voor jou. Zij lijken op vrouw uit droom... zij Suze zijn ik denken...'

'Was zij toen je meisje?'

'Ja... ik haar in droom zien...'

'Geloof jij in dromen?'

'Het moet wel... anders niks van vroeger ik meer weten dan alleen uit dromen,' zucht Evert.

'Dromen liggen tussen het heden en het verleden. Vaak zijn het niet verwerkte emoties en ligt het vaak tussen werkelijkheid en onwerkelijkheid,' legt Frits uit.

'Toch ik erin geloven... Die mannen op de bouw timmermannen, dat was ook iets van mij... ik niet begrijpen... Ik zo maar kan gaan werken op de bouw...'

'Je bent vast timmerman geweest vroeger. Het komt best weer goed met jou. Droom maar veel over vroeger, maar dan wel mooie dromen. Wij gaan morgen veel geld verdienen, droom daar maar vast over. Ga nou maar slapen. Het is zo weer dag,' zegt Frits terwijl hij de kaars uitblaast en Evert hem even later weer hoort snurken.

Als hij aan het donker gewend is kijkt hij naar Frits. Frits is zeker al zo'n zestig geweest. Met zijn lange grijze baard is hij het type van een echte zwerver. Al gaat hij altijd netjes gekleed en wast hij zich elke morgen onder een oude kraan op het industrieterrein. Hij verdient eerlijk zijn geld door mensen met zijn muziek te vermaken. Nu heeft hij ook een mondharmonica om samen met Frits de mensen te vermaken, zodat ze eten kunnen kopen en andere dingen die ze nodig hebben. Het is een wonder dat hij bij deze man is terechtgekomen. Hij gaf hem die mondharmonica, zodat hij weer een herinnering rijker is geworden door een droom. Het maakt hem warm vanbinnen... het is toch iets van hem zelf... hij kan muziek maken waar anderen van kunnen genieten, maar dan is daar dat meisje dat zegt dat het niet goed is zulke liedjes te spelen... Dan valt Evert tegen de morgen opnieuw in slaap.

11

Als Hans voor het huis van Suze stopt, schrikt hij een beetje. Het is al laat want hij heeft een vergadering gehad van de mannenvereniging. Hij ziet dat alles donker is en de gordijnen zijn niet gesloten, maar dat is niets voor zijn zus. Hans stapt uit de auto en loopt achterom, zoals hij gewend is. De poort zit ook niet op slot, maar de achterdeur wel. Zal ze dan toch naar bed zijn gegaan. Hij weet dat ze vaak laat naar bed gaat en ze weet dat hij meestal vanuit de mannenvereniging nog even bij haar langs komt. Hans kijkt door het raam, maar kan niets zien. Het is overal donker in huis. Hij maakt zich ongerust.

Hij moet zien dat hij een sleutel van de voordeur van haar krijgt, als er eens wat gebeurt. Een vrouw alleen met een kind in deze situatie is niets gedaan. O ja, de buren hebben ook een sleutel. Hij ziet dat de tv nog aanstaat en belt aan.

De buurman kijkt eerst door het raam wie er nog zo laat voor de deur staat. Er zal toch niks met hun kind gebeurd zijn; daar denken oudere mensen het eerst aan als ze getrouwde kinderen hebben. Het spreekwoord zegt toch: Kleine kinderen, kleine zorgen, grote kinderen, grote zorgen en getrouwde kinderen, doorlopende zorgen.

'Het is Hans, de broer van Suze, die voor de deur staat,' zegt Jan tegen zijn vrouw Rita. Er zal toch niks met hiernaast zijn?'

'Ik zal even opendoen. Dag Hans, kom binnen…'

'Jullie hebben toch een sleutel van het huis van mijn zus?'

'Ja, is ze niet thuis?'

'Dat weet ik niet, alles is donker en de gordijnen zijn nog open.'

'Ze zal wel naar bed zijn en die gordijnen doen de mensen tegenwoordig niet meer dicht. De mensen kunnen dan zien wat er allemaal in huis staat snap je,' maakt de buurman een grap. Hans knikt alleen maar.

'Mag ik even de sleutel? Ik ben er niet zo gerust op.'

'Goed jongen, kom maar even binnen.'

'Nee liever niet. Geeft u mij maar de sleutel,' zegt Hans wat ongeduldig terwijl hij bij de voordeur blijft staan. Hij hoort de buurvrouw tegen haar man zeggen: 'Laat hem toch even binnen.'

'Dat wil hij niet. Waar heb je de sleutel van hiernaast?'

'In de la, het is de sleutel met dat ronde labeltje eraan.' Even later komt Jan met de sleutel terug naar de voordeur. 'Mijn vrouw vraagt of je nog even binnenkomt.'

'Nee, ik ga alleen nog even bij mijn zus kijken of alles in orde is.'

'Maak je niet ongerust over haar, wij houden hier de boel wel in de gaten. Mijn vrouw gaat overdag vaak bij haar kijken. Haar man Evert zal wel niet meer terugkomen. Weet jij soms waar hij zit?' vraagt Jan nieuwsgierig.

'Nee, bedankt, ik breng zo de sleutel wel weer terug.'

'Goed jongen, als er wat is, dan roep je ons maar.'

'Dat zal ik doen als het nodig is.'

Hans loopt naar de voordeur, steekt de sleutel in het slot en opent de deur. Hij struikelt over wat kranten en post die nog achter de deur ligt.

Dat is niet normaal, denkt Hans bij zichzelf.

Als hij in de kamer komt en het licht aanknipt, ziet hij zijn zus op de bank liggen. Hij loopt naar haar toe en vraagt: 'Suze, slaap je?' Ze geeft geen antwoord. Hans schrikt. Hij schudt voorzichtig aan haar schouder en fluistert: 'Suze... Suze word eens wakker...'

Dan gaan haar ogen open en zegt ze: 'Evert... o Evert...'

'Nee Suze, ik ben het. Wat is er met je?'

Dan lopen er tranen over haar wangen.

'Wil het niet meer Suze... is er wat gebeurd?'

Suze gaat rechtop zitten en houdt haar handen voor haar gezicht. Hans gaat naast haar op de bank zitten en legt zijn arm om haar heen.

'Suze wat is er... waarom ben je zo verdrietig. Heb je wat gehoord van Evert?'

Ze schudt haar hoofd.

'Wat is er dan met je?'

Ze kijkt hem van opzij aan en snikt: 'Ik dacht dat hij weer thuis was, maar ik heb het gedroomd... jij bent het.'

'Waarom ben je niet naar bed gegaan en doe je de gordijnen niet dicht?' vraagt Hans terwijl hij opstaat en de gordijnen dichtdoet. Hij houdt niet van pottenkijkers. Als je van de boerderij komt, dan ben je dat niet gewend. Bij hen thuis gaan de luiken van de kamer aan de buitenkant nog dicht als ze naar bed gaan, dat zijn ze gewend.

Hij gaat weer naast zijn zus zitten en vraagt: 'Ligt Tanja boven?'

'Ja, die slaapt al,' antwoordt Suze terwijl ze haar tranen droogt.

'Heb je op mij gewacht?'

Ze haalt haar schouders op.

'Je weet toch dat ik van de mannenvereniging altijd even bij je langs kom?'

'Nee, daar heb ik niet aan gedacht... het is een warboel in mijn hoofd... ik kom er niet meer uit...'

'Je bedoelt wat Evert betreft?'

'Ja...'

'Heb je nog niks gehoord?'

'Nee...'

'Zal ik morgen even naar het politiebureau gaan en vragen of er al wat bekend is over Evert?'

'Dat heb ik al zo vaak gedaan. Het is landelijk bekend. Ze doen hun best. Ze weten dat hij als vermist is opgegeven. Ze hebben een herhaalde oproep in de krant gezet, met een foto van hem erbij, maar er wordt niet op gereageerd. Ze zeggen dat er dagelijks mannen en vrouwen weglopen door een ruzie. Ze kunnen daar niet zoveel aandacht aan besteden.'

'Toch hebben ze een herhaalde oproep gedaan. Ik heb het ook gelezen in de krant en er was ook een foto bij. Misschien heeft iemand hem ergens gezien en laat hij wat van zich horen,' zegt Hans.

'Ik geloof er niet meer in... hij is ervandoor gegaan.'

'Maar Evert is niet zo. Hij kan wel een tijdje kwaad zijn, maar hij blijft nooit lang kwaad. Ik begrijp er zelf ook niks van.'

'Dan had je zijn ouders moeten horen.'

'Wat zeggen die er dan van?'

'Dat het allemaal mijn schuld is, ik... ik...' verder komt Suze niet. Ze raakt overstuur.

Hans staat op en haalt een glaasje water voor haar en vraagt: 'Wat zeggen zijn ouders over jou?'

'Dat het allemaal mijn schuld is. Dat ik hem van hen heb afgenomen door hem mee te nemen naar de kerk. Ze vinden dat ik te bazig ben. Hij kwam bij hen tv kijken en was liever niet bij mij thuis. Hij had thuis niks te zeggen... en ze hebben eigenlijk nog gelijk ook.'

'Hoe bedoel je?'

'Dat ik hem mijn levensstijl heb opgedrongen en dat hij daar niet mee kon omgaan.'

'Dat valt wel mee... jullie waren een fijn gezin... ja toch?'

'Nee Hans, de laatste tijd was het vaak mis. Hans ging 's avonds niet meer als timmerman klussen. Hij kon genoeg werk krijgen. We hebben een hoge hypotheek, ik kan niet meer rondkomen. Zijn baas heeft nog maanden zijn salaris doorbetaald, maar kon er niet mee doorgaan.'

'Waarom vertel je dat nu pas aan mij?'

'Het kan mij allemaal niks meer schelen. Evert komt niet

meer terug bij mij... hij zal wel een ander hebben, zeggen ook zijn ouders.'

'Hoe kunnen zij dat nou weten, dan moet hij bij zijn ouders zijn geweest en Evert is wel een man die daar dan eerlijk met jou over praat. Niet dan?'

'Toch zeggen ze het.'

'Geloof jij dat Evert bij een andere vrouw zit, terwijl hij in de krant staat en gezocht wordt?'

'Ik weet het niet meer. Hij mag altijd bij mij terugkomen, ook al heeft hij een ander gehad. Ik houd van hem en ga er kapot aan...' snikt Suze.

'Het duurt allemaal te lang. Het is geen normale vermissing meer. Morgen ga ik er met de politie over praten en wil ik er meer over weten. Als hij bij een andere vrouw zit, dan hadden wij dat allang gehoord, Evert kennende. Hij laat je niet zomaar in de steek.'

'Vroeger niet... maar nu. De laatste tijd was het mis met hem. Hij dronk te veel sterke drank en zat vaak tot midden in de nacht achter de computer. Ik wist daar niks van. Hij volgde een studie voor uitvoerder en vertelde mij dat hij wat werk moest doen op de computer, maar het werd steeds later in de nacht en hij ging ook wel eens stiekem uit bed als ik sliep. Totdat ik hem die nacht betrapte toen hij ervandoor ging.'

'Je hebt het mij al een keer verteld. Maar hoe denk je zelf dat Evert zo geworden is?'

'Hij... ik...' opnieuw krijgt Suze een huilbui en kan ze niet uit haar woorden komen.

'Konden jullie het samen niet meer vinden... Ik bedoel...?'

'Hij raakte mij in bed nooit meer aan en als ik het probeerde, dan was hij moe. Hij was verslaafd aan die vreselijke pornosites en weet ik veel waar hij mee bezig was. Hij kon niet normaal meer met mij omgaan. Hij...'

'Ik begrijp het. Er zijn veel van zulke gevallen bekend, maar dat Evert van jou… nee.'

'Zelf zou ik er ook niet in geloven totdat ik het ontdekte…'

Hans kijkt op zijn horloge en vraagt: 'Neem je nog slaaptabletten in?'

'Ja… ik heb er nu te veel ingenomen en ben vreselijk moe…'

Hans kijkt voor zich uit en zegt dan: 'Het is niet goed dat je hier alleen zit met Tanja.'

'Wat moet ik dan?'

'Je moet proberen alles van je af te zetten.'

'Jij hebt makkelijk praten als vrijgezel.'

'Daar kun je wel eens gelijk in hebben,' zegt Hans eerlijk.

'Verlang jij nooit naar een vrouw, Hans?'

Nu raakt ze bij Hans een gevoelige snaar.

'Sinds ik… nou ja, je weet wel wat ik bedoel.'

'Nee, echt niet.'

'Met Sientje… toen ze, nou ja…'

'O ja, zit je daar nog steeds mee?'

'Nou ja…'

'Je hebt echt van haar gehouden, Hans. Waarom heb je haar dan nooit gevraagd?'

'Omdat ik wist dat ze met een ander ging.'

'Maar heb je haar dan nooit gevraagd?'

'Dat wel ja…'

'Heeft ze je afgewezen?'

'Ja…'

'Dus ze gaf niks om je?'

'Dat weet ik niet… het was zo moeilijk… ze deed altijd net alsof ze van mij hield en toen ik haar vroeg… zei ze kortweg nee…'

'Heb je haar dan niet gevraagd waarom?'

'Nee... ze had al snel een ander.'

'Dan heeft ze niet echt van je gehouden.'

'Dat weet ik niet. Ze heeft een rijke vent getrouwd en rijdt nu in een dure auto rond.'

'Houd je nog steeds van haar?'

'Nou ja...'

'Dus toch wel.'

'Ik praat er liever niet meer over. Het is maar goed dat het zo gegaan is.'

'Daar heb je gelijk in. Het doet pijn als je er later achterkomt dat je man om een ander geeft en je in de steek laat met kind en al. Elke dag vraagt Tanja om haar vader. Hij was een goede vader voor haar en bracht haar vaak naar bed... Het is allemaal zo erg Hans...'

'Gaat Tanja weer naar school?'

'Ja, maar het gaat niet zo goed met haar. Ze wordt vaak gepest door kinderen. Kinderen kunnen hard voor elkaar zijn. Ze komt vaak huilend thuis. Zelfs haar vriendinnen plagen haar.'

'Maar zij kan er toch niks aan doen.'

'Nee. Ze plagen haar om haar vader. Ze zeggen dat hij nooit meer thuiskomt en je weet wel dat Tanja zacht van aard is. Ze heeft alles wat ze die nacht heeft gezien op school verteld. Het was vreselijk voor haar hoe haar vader tekeerging hier in huis en dat zij haar vader achterna rende toen hij ervandoor ging.'

'Heeft ze dat op school allemaal verteld?'

'Ja... ik had haar eigenlijk de eerste week thuis moeten houden, maar ze wilde na een paar dagen zelf weer naar school. Ze huilde vaak op school en dan vroeg haar juf wat er was. Toen heeft ze het in de klas verteld, waar de kinderen bij waren.'

'Hoe kon zo'n juf zo dom zijn. Ze had haar toch apart kunnen nemen.'

'Het was al te laat. Ze wist niet wat Tanja meegemaakt had en dat ze dit zomaar in de klas zou vertellen.'

'Is dat mens hier nog geweest?'

'Ja… ze had er spijt van.'

'Maar jullie zitten ermee.'

'Als hij nou maar terugkwam. Had ik maar wat zekerheid en wist ik waar hij heengegaan is of er wat met hem gebeurd is.'

'Wat denk jezelf?' vraagt Hans, terwijl hij zijn zus aankijkt.

'Ik denk vaak dat hij een ander heeft doordat hij geen behoefte meer aan mij had en verslaafd was aan die porno en zo…'

'Heb je die beelden nog?'

'Nee… ik heb alles in de vuilnisbak gegooid.'

'Dat heb je goed gedaan. Hij kan ook via internet een vrouw ontmoet hebben,' zegt Hans.

'Daar heb je gelijk in.'

'Het gebeurt tegenwoordig veel.'

'We hadden nooit internet in huis moeten halen, maar ik had het nodig voor mijn werk en Evert voor zijn studie.'

'Wilde hij echt uitvoerder worden in de bouw?'

'Hij was daar al jaren mee bezig en hij was er ook geschikt voor. Jammer dat het zo verkeerd is gegaan door die computer. Als die er niet geweest was en ik naar hem had geluisterd en hem zijn zin had gegeven, dan was dit allemaal niet gebeurd.'

'Je bedoelt dat je hem hebt geleerd hoe hij met die computer kon omgaan?'

'Nee, dat bedoel ik niet. Hij wilde graag tv in huis en daar was ik tegen.'

'Je kunt het hem niet kwalijk nemen. Hij was het van huis uit gewend,' zegt Hans.

'Daarom juist. Toch heb ik er spijt van, al ben ik nog zo tegen tv. Als je ziet hoe velen de hele dag en avond voor dat ding zitten en dan zal ik niet zeggen dat alles slecht is wat erop komt. Toch ben ik er mijn man door kwijtgeraakt.'

'Dus jij denkt dat als je tv in huis had gehaald hij niet op de computer porno had bekeken of met andere vrouwen had gechat of weet ik veel hoe dat heet.'

'Hans, ik heb nu tijd gehad om na te denken over ons huwelijk. Evert en ik hielden veel van elkaar, maar ik heb te veel en te snel alles van hem afgenomen waar hij thuis de avonden mee vulde. Hij was een totaal ander leven gewend als bij ons thuis. Zulke mensen vinden dat een saai leven, maar wij zijn er gelukkig mee en dat ben ik nog steeds. Ik ben blij dat onze ouders ons zo hebben opgevoed.'

'Maar daar heeft Evert niks aan. Hij was niet gewend om zondags twee keer een preek te horen.'

'Dat zal best moeilijk voor hem geweest zijn.'

'Er zijn zoveel dingen die ik hem heb afgenomen en andere dingen die ik hem heb opgedrongen. Hij speelde thuis op een mondharmonica. Het waren allemaal straatliederen, dat vond ik niet netjes. Toen ik dat zei gooide hij zijn mondharmonica in de vuilnisbak. Ik heb niets ingeleverd. Hij deed dat allemaal voor mij. Ik heb te veel dingen afgedwongen.'

'Het zou kunnen, ik mag daar niet over oordelen,' zegt Hans met een zachte stem.

Dan gaat de deur van de woonkamer open.

'Ome Hans.'

'Ach kind, slaap je nog niet?'

'Heb gedroomd over papa, dat hij niet meer van ons houdt. Hij is heel ver weg naar een ander land, een heel grote wereld. Misschien wel naar de Heere God in de nieuwe wereld of de hemel,' zegt het kinderstemmetje verdrietig.

Hans neemt haar op schoot en zegt: 'Je moet niet geloven in dromen, dromen zijn bedrog.'

'Komt papa dan weer naar huis?'

'Ja hoor,' antwoordt Hans met een knipoog naar Suze.

Hans kijkt op zijn horloge en zegt: 'Het is al laat... ik moet gaan.'

Dan gaat de telefoon.

Ze schrikken allemaal. Zo laat nog telefoon.

Suze pakt hem aan: 'Ja, hij is hier... hij komt zo naar huis. Ja, ik zal hem u geven.'

'Ja met mij,' zegt Hans. Hij luistert een tijdje zonder zelf wat te zeggen. Dan zegt hij: 'Ze moet het zelf wel willen. Ik zal het haar vragen.' Hans houdt de hoorn van de telefoon naar beneden, kijkt zijn zus aan en zegt: 'Pa en ma vragen of je, zolang Evert nog niet thuis is, bij ons op de boerderij komt samen met Tanja. Ze zijn elke dag erg ongerust over jullie. Ook pa heeft het er moeilijk mee.'

'Ook pa?' vraagt Suze verbaasd.

'Pa is de laatste tijd erg stil, nadat hij zo tekeer is gegaan tegen jou.'

Dan laat Suze haar tranen lopen en snikt: 'Fijn dat jullie zo van ons houden...'

Hans zegt door de telefoon: 'Ik breng ze gelijk mee.'

Ze doen wat kleren in tassen en nemen wat spullen voor Tanja mee om te spelen en doen alles bij Hans achter in de kofferbak. Hans gaat naar de buren, geeft hun de sleutel terug en vertelt dat ze zo lang bij hen op de boerderij gaan wonen.

De buurvrouw komt nog even bij de auto om afscheid van hen te nemen en belooft de planten water te geven en te bellen als er wat aan de hand is met het huis. Ze hoeft zich verder geen zorgen maken.

12

De volgende morgen staat Irma al vroeg op en ze staat als eerste onder de douche. Gisela en Hanna draaien zich nog een keer om. Als Irma weer in de kamer komt en de twee vriendinnen nog ziet slapen, gaat ze op de rand van haar bed zitten en pakt de krant. Ze bekijkt de foto nog eens goed en leest opnieuw de herhaalde oproep.

'Hij is het, daar ben ik zeker van,' zegt Irma met een zachte stem tegen zichzelf.

'Waar heb jij het over?' vraagt Hanna, die wakker is geworden en rechtop in bed zit.

'Over die man in de krant,' antwoordt Irma.

'Zit je al zo vroeg de krant te lezen?'

'Vroeg... het is al acht uur geweest en ik heb mij al gedoucht,' antwoordt Irma.

'We hebben vakantie hoor,' zegt Gisela, die zich uitrekt.

'Hebben jullie dan geen zin in een lekker Hollands ontbijt met lekker vers brood, gekookte eieren en Hollandse kaas,' plaagt Irma.

Dan lachen ze alledrie en beginnen met kussens naar elkaar te gooien.

'Ik ga vast naar beneden. Als jullie je dan gaan douchen, hoop ik voor jullie dat er nog wat van het ontbijt over is, want ik heb een vreselijke honger,' zegt Irma terwijl ze opstaat en naar de deur loopt met de krant onder haar arm.

'Volgens mij heb jij wat met die vent in de krant,' lacht Hanna.

'Nee... ik wil dit uitzoeken... ik weet zeker dat hij het is,' antwoordt Irma ernstig.

'Dan zul je moeten bellen of naar het politiebureau moeten,' zegt Gisela.

'Ik ga eerst ontbijten en dan zie ik zo wel verder. Schieten jullie maar op. Jullie verslapen de hele vakantie.'

'Ga jij nou maar met je krantje naar beneden en zorg dat er een goed ontbijt staat voor drie hongerige Duitse meisjes.'

'Oké, als jullie niet binnen een kwartier beneden zijn, dan zijn de eieren verdwenen,' lacht Irma terwijl ze de deur uit gaat.

'Als ze dan maar niet de hele dag gaat kakelen als een Hollandse kip,' zegt Hanna terwijl ze snel naar de douche loopt om Gisela voor te zijn.

Als Irma beneden komt, zitten er al mensen aan het ontbijt in de eetkamer. De pensionhoudster wijst haar een tafeltje aan voor drie personen.

'Ziet er goed uit,' zegt Irma terwijl ze naar de gedekte tafel kijkt.

'Als er nog wat nodig is, dan zeg je het maar,' zegt de vrouw in het Duits.

'Oké,' antwoordt Irma terwijl ze de krant op tafel legt en opnieuw naar de foto kijkt.

'Die is er al een tijdje vandoor of hij leeft niet meer... Zielig voor dat vrouwtje en haar kind,' zegt de pensionhoudster als ze ziet dat Irma naar de foto kijkt.

'Kent u die familie?' vraagt Irma.

'Nee, die wonen ergens in Nederland. Die foto heeft al een paar keer in de krant gestaan.'

'Volgens mij heeft hij bij ons in Duitsland in het ziekenhuis gelegen, ik ken hem,' zegt Irma.

'Weet je dat zeker?'

'Geen twijfel mogelijk.'

'Dan moet je de politie waarschuwen,' zegt de vrouw.

'Waar is hier een politiebureau?' vraagt Irma.

De vrouw legt het uit en schrijft het op voor Irma.

'Bedankt, kijk, daar komen mijn vriendinnen al aan,' lacht

Irma.

'Eten jullie smakelijk en als er wat nodig is, dan roep je maar.'

'Ze kunnen er wat van die twee,' zegt Irma als haar vriendinnen aan tafel zitten.

'Ik ben hier Duitsers gewend,' lacht de vrouw vrolijk.

'Wat zijn jullie druk op de vroege morgen,' zegt Gisela.

Hanna pakt gelijk een broodje, bedekt hem rijkelijk met beleg en wil er gelijk een hap in nemen.

'Ho jij... zo zijn we dat niet gewend, al zijn we ver van huis,' zegt Irma.

Ze vouwen alle drie hun handen, kijken elkaar aan na het bidden en zeggen alle drie tegelijk: 'Eet smakelijk.'

'Wat gaan we vanmiddag doen? Het wordt vandaag een warme dag volgens de radio.'

'Heb je naar een Duitse zender geluisterd, dan zal het hier wel regenen,' lacht Hanna.

'Doe toch gewoon. Ik kan goed Hollands verstaan hoor.'

'Dan hebben wij geluk.'

'Toch moet ik eerst naar het politiebureau,' legt Irma uit.

'Weet je wel zeker dat het dezelfde man is.'

'Zeker weten.'

'Zal ik met je mee gaan?'

'Gaan jullie maar vast naar het strand, dan kom ik later wel.'

'Oké, weet je de weg naar het politiebureau?'

'Die mevrouw heeft het mij uitgelegd en het op een briefje geschreven.'

'Het is niet te hopen dat je verdwaalt. Dan kom je ook in de krant met een foto: Een knappe jonge vrouw gezocht, valt vooral op Hollandse jongens en dan vooral op kippenboeren, want ze houdt van verse eieren.'

'Doe jij eens gewoon, Hanna!' valt Irma kwaad uit.

'Mag ik geen grapje meer maken?'

'Nee, liever niet over zoiets.'

'Neemt u het mij niet kwalijk, dame,' spot Hanna terug.

Als ze gedankt hebben, gaan ze nog even naar boven om wat spullen te halen.

Ze nemen buiten het pension afscheid van Irma. 'Tot zo op het strand en laat je daar niet arresteren door de politie. Voor de avond komen we je niet bevrijden,' lacht Hanna terwijl ze met Gisela richting het strand loopt.

Irma stapt in haar auto, kijkt op het briefje dat ze voor zich heeft liggen en rijdt naar het politiebureau.

Irma rijdt het parkeerterrein op en stapt uit, loopt naar de trap van het politiebureau. Ze gaat naar het loket waar een agent achter zit.

'Wat kan ik voor u doen, jongedame?'

Irma pakt de krant en laat de foto zien met de oproep.

'Familie of een kennis van u?'

'Nee... deze man wordt toch gezocht?' vraagt Irma in wat gebrekkig Nederlands.

'O ja.'

'Ik herken deze man.'

'Heeft u hem ontmoet?'

'Ja...'

De agent toetst wat in de computer en vraagt: 'Waar heeft u hem voor het laatst gezien?'

'Bij ons in de stad.'

Dan toetst de agent al de gegevens in die Irma opgeeft.

'Het is te hopen dat hij het is. Mag ik uw naam en het adres waar u logeert?'

'Ja...'

Dan noteert de agent het pension waar Irma met haar vriendinnen logeert.

'Oké, ik zal het doorgeven en als het klopt, dan bellen wij u, als u het goed vindt,' zegt de agent vriendelijk.

'Gaat u nu de familie waarschuwen?' vraagt Irma.

'Ik geef het door aan mijn collega van het dorpje waar zijn vrouw woont. Die brengen haar dan een bezoek en zoeken het wel verder uit. Blijft u nog lang hier op Texel?' vraagt de agent.

'We zijn hier gisteren aangekomen.'

'Het kan zijn dat de familie contact met u wil zoeken. Kan ik een mobiel nummer van u noteren, dan kunnen wij u overal bereiken, ziet u.'

Irma geeft haar mobiele nummer op en de agent toetst het in.

'Bedankt voor al uw gegevens. Wij gaan er meteen aan werken. U hoort nog van ons of misschien van de familie,' zegt de agent vriendelijk.

Irma stapt het politiebureau uit en rijdt terug naar het pension, waar ze haar auto parkeert. Irma gaat snel boven haar zwemspullen pakken en loopt naar het strand dat dicht bij het pension is. Haar vriendinnen zijn erg nieuwsgierig als ze Irma terugzien en vragen dan ook: 'Was hij het?'

'Dat is nog niet zeker. Ze nemen contact op met zijn vrouw of de politie van het dorp waar ze woont.'

'Dan zullen die mensen wel erg blij zijn.'

'Het is te hopen dat hij het is. Ze zullen wel schrikken als ze hem ergens bij ons in de stad moeten zoeken als zwerver,' zegt Irma ernstig.

'Misschien is hij dat altijd geweest.'

'Hoe bedoel je?'

'Dat hij hier in Nederland ook veel rondzwerft en af en toe bij zijn vrouw komt kijken. Je weet maar nooit, hij is toch niet helemaal bij zijn hoofd?' zegt Hanna.

'Dat mag je zo niet zeggen. Hij kwam zwaar beschadigd bij ons in het ziekenhuis terecht. Ze weten niet hoe hij vroeger was.'

'Hij heeft toch ook een tijdje in coma gelegen?'

'Ja, ze hebben hem behoorlijk mishandeld.'

'Wat vreselijk… waarom doen die jongens zoiets… een onschuldige man in elkaar trappen.'

'Ze drinken in het weekend te veel en weten dan niet meer wat ze doen.'

'Wat moest die man nog zo laat op straat zoeken en dat helemaal bij ons in Duitsland?'

'Dat weten wij ook niet. Toen hij uit coma kwam, kon hij geen fatsoenlijk woord uitbrengen. Eerst hebben wij het met de computer geprobeerd, maar hij maakte er niet veel van. We kwamen er al snel achter dat hij geen Duitser was.'

'Je hebt hem toch nog behoorlijk leren praten.'

'Ja, na een tijd ging het steeds beter. Vooral toen dominee Handel erbij was, die vlot Nederlands spreekt. Hij voelde zich schuldig en had het steeds over zonde. Hij wist zelf niet meer waarom. Er was een soort schuldgevoel in hem,' legt Irma uit.

'Dan zal hij wel wat op zijn geweten hebben, wat moet hij anders in Duitsland doen. Hij is vast ergens voor op de vlucht.'

'Maar zijn vrouw zoekt hem,' zegt Irma.

'Het is te hopen dat zijn vrouw hem nog terug wil hebben.'

'Natuurlijk wel, anders liet ze hem niet opsporen,' antwoordt Irma.

'Het is een vreemd zaakje.'

'Weet je wel zeker dat hij het is, anders maak je die familie blij met een dode mus.'

'Praat niet zo vreemd.'

'Ik heb het gevoel dat je niet zeker bent,' zegt Gisela.

'Zo'n foto in de krant is nooit hetzelfde dan dat je iemand in levende lijve ziet, dat is gewoon zo en toch geloof ik bijna zeker dat hij het moet zijn,' houdt Irma vol.

'Kom, dan gaan we een duik in zee nemen, het water is heerlijk. We hebben vakantie weet je nog,' zegt Hanna, die al voor hen uitrent de zee in.

'Ik blijf hier op het strand liggen,' zegt Irma.

'Je bent nog niet één keer in zee geweest,' zegt Gisela verbaasd.

'Elk moment kan mijn mobieltje afgaan in verband met die man,' legt Irma uit.

'Ik ben al een paar keer in zee geweest, dan let ik wel even op de spullen en jouw mobieltje.'

'Er moet steeds iemand hier blijven in verband met onze spullen.'

'Dat is zo.'

'Ga jij nou maar lekker zwemmen. Jij hebt ook vakantie hoor.'

'Oké, bedankt hoor.'

Irma rent naar de zee en zwemt al snel naar Hanna toe.

'Waar blijft Gisela?'

'Die let op onze spullen,' antwoordt Irma.

'Daar heb ik echt niet aan gedacht. Jullie hebben gelijk. Zo ben ik aan de beurt en kun je met Gisela zwemmen.'

'Nee, ik kan elk moment een telefoontje krijgen op mijn mobieltje.'

'Dat maakt toch niks uit. Ik haal je wel uit de zee als ze je nodig hebben. Trouwens, het is een zaak voor de politie en niet voor jou.'

'Dat weet je maar nooit. Het kan zijn dat die familie met mij wil praten.'

'Dat zou kunnen. Je hebt wel weer wat aangehaald hier op vakantie en dan nog wel op speurtocht naar een man. Laat ze het zelf maar uitzoeken,' zegt Hanna bot.

'Het zal jouw man maar zijn of je vriend. Trouwens, er is ook nog een kind dat haar vader mist.'

'Het zal allemaal wel meevallen. Jij maak je veel te druk.'

'Het is te hopen dat het jou nooit overkomt,' zegt Irma kort.

'Ik trouw toch nooit. Leve de vrijheid!' roept Hanna terwijl ze een duik in het frisse water neemt.

Diezelfde morgen stopt er een politieauto voor de deur van Suze. De politie belt aan, maar krijgt geen gehoor. Ze lopen om het huis heen, dan komt de buurvrouw naar buiten en vraagt: 'Zoeken jullie mijn buurvrouw?'

'Ja mevrouw.'

'Die is gisteravond vertrokken naar haar ouders. Haar broer heeft haar met haar dochtertje gisteravond nog laat gehaald. Ze kon het alleen niet aan. Hebben jullie nieuws over haar man?' vraagt Rita wat nieuwsgierig.

Ze geven haar geen antwoord en vragen waar haar ouders wonen. Rita legt het uit. De agenten bedanken haar en stappen in hun politieauto. De buurvrouw gaat snel naar binnen en vertelt het tegen haar man. 'Ze hebben hem vast gevonden,' zegt Rita opgewonden.

'Zou hij nog in leven zijn?' vraagt haar man.

'Ik weet het niet. Ze wilden niks zeggen. Ze hadden toch eerst kunnen bellen voor ze hierheen kwamen,' zegt Rita.

'Dat zullen ze wel gedaan hebben, maar ze is niet thuis,' legt haar man uit.

'Het is te hopen dat hij nog in leven is,' zegt Rita ongerust.

De politieauto rijdt het erf van de boerderij op. Twee agenten stappen uit de auto. Hans hoort een auto het erf oprijden en komt uit de stal. Hij loopt op de agenten af en vraagt wat er aan de hand is.

De agenten geven hem een hand.

'Moeilijkheden?' vraagt Hans nerveus.

'Woont bij u een mevrouw Schilder?'

'Ja, dat is mijn zus...'

'Mogen wij haar spreken?'

'Komt u maar mee naar binnen,' antwoordt Hans en gaat de twee agenten voor. Als ze in de woonkamer komen, waar de boer en boerin nog aan de koffie zitten, schrikken ze wel.

'Pa en ma, deze twee agenten komen voor Suze.'

'Er is toch niks ernstigs gebeurd met Evert, vraagt Suzes moeder gelijk.

'Het valt wel mee,' zegt een van de agenten gelijk.

'Gaat u maar zitten, dan zal ik even mijn zus roepen. Ze is nog boven op haar kamer. Het gaat niet zo goed met haar. We hopen dat u een goed bericht brengt.'

'Het valt heus wel mee. Haar man leeft nog...'

'O gelukkig,' zegt Suzes moeder opgelucht. Ze schrok zo van de twee agenten dat ze het ergste vreesde.

Dan komt Suze met Tanja naar beneden. Ze geeft de twee agenten een hand en vraagt gelijk: 'Is Evert nog in leven...?'

'Gaat u eerst maar rustig zitten, mevrouw,' zegt een van de agenten. Suze gaat zitten en neemt Tanja op schoot.

'Er is bericht binnen over uw man... wij hopen dat het uw man is.'

'Waar is hij?' vraagt Suze gelijk.

'Rustig mevrouw... het is allemaal nog niet zo zeker.'

'Dus u weet niet of hij nog leeft of waar hij is?'

'Nee, iemand heeft de foto van uw man uit de krant herkend maar dat is nog niet zeker. We moeten maar hopen dat uw man het is,' legt de agent uit.

'Wie is die iemand?'

'Een jonge vrouw uit Duitsland die hier op vakantie is.'

'Kent zij Evert?' vraagt Hans.

'Ze heeft hem in Duitsland ontmoet.'

'Is het een vriendin van hem?' vraagt Suze verlegen.

'Nee, ze werkt in Duitsland in een ziekenhuis en daar

heeft ze uw man ontmoet,' legt de agent uit.

'Ligt hij in Duitsland in een ziekenhuis?'

'Niet meer… Wij kunnen u trouwens niet veel vertellen. Het lijkt ons verstandig dat u zelf contact zoekt met die vrouw, die kan u meer vertellen.'

Dan is het even stil. Ze begrijpen allemaal wat er door het hoofd van Suze gaat. Ze vraagt dan ook opnieuw: 'Kent die vrouw mijn man al lang?'

'Dat kunt u beter aan haar vragen. Wij kregen bericht vanuit Texel, waar drie jongedames op vakantie zijn. Een van hen heeft uw man herkend van de foto uit de krant.'

'Is hij soms bij haar…' vraagt Suze voorzichtig.

'Dat denken wij niet. Die mevrouw heeft de politie haar mobiel nummer gegeven. U kunt contact met haar zoeken als u dat wilt. Zij weet misschien waar hij te vinden is,' legt de agent uit. De agent legt gelijk een briefje op tafel met de naam van Irma en haar mobiele nummer.

'Wilt u soms koffie?' vraagt de moeder van Suze.

'Komt papa weer naar huis, mama?' vraagt Tanja, terwijl ze haar moeder aankijkt.

Suze knikt, ze kan geen woord uitbrengen. De agenten staan op, geven hen een hand en wensen hen veel sterkte. Een van de agenten zegt: 'Als u ons nodig heeft, dan belt maar gerust, wij hebben alle gegevens van die mevrouw, maar neemt u eerst maar contact met haar op.'

Als de agenten weg zijn, vraagt Suze: 'Wat moet ik nu doen. Ik durf die vrouw niet te bellen.'

Dan zegt Hans: 'Vind je het goed dat ik het doe en met haar praat?'

'Ja… doe jij het maar…' snikt Suze, die erg overstuur is. Haar man is helemaal in Duitsland en heeft er in een ziekenhuis gelegen. Die vrouw kent hem. Ze heeft hem herkend van de foto uit de krant. Misschien liegt ze wel en is hij bij haar en durft hij zelf niet te bellen. Of is hij ergens anders en wil hij niet meer naar huis komen…

'Het komt wel goed Suze. Je moet nu geen rare gedachten in je hoofd halen,' zegt haar moeder, terwijl ze haar hand vasthoudt.

13

Irma ligt op het strand en haar vriendinnen zijn in zee, dan hoort ze haar mobieltje afgaan. Ze drukt op het knopje en antwoordt: 'Met Irma…?

'Met Hans Verschoo spreekt u…'

'Ken ik u ergens van?'

'Eh nee, het gaat om mijn zus… ik bedoel mijn zwager Evert…'

'O…'

'U heeft hem herkend van een foto uit de krant.'

'Dus u bent familie van hem?'

'Ja, hij is getrouwd met mijn zus.'

'Dan heet uw zus Suze?'

'Ja… hoe weet u dat?'

'Dat zal ik u uitleggen…'

'Nee, doe dat maar niet. Het lijkt mij verstandiger dat ik naar u toe kom.'

'Woont u dan hier dicht bij Texel?'

'Nee, dat niet.'

'Wij zijn hier op vakantie.'

'Met uw man?'

'Nee, met twee vriendinnen.'

'Vindt u het erg als ik u opzoek en met u kom praten over mijn zwager?'

'Wanneer denkt u hier te zijn?'

'Ik zal er ongeveer twee uur over moeten rijden.'

'Goed… oké, dan ga ik nu van het strand en vaar ik over met de boot naar Den Helder.

'Als u dat zou willen doen.'

'Ik laat mijn auto hier, dan kunnen mijn vriendinnen mij naar de boot brengen en zie ik u wel bij de pont aan de kant van Den Helder.'

'Oké, er is daar een klein restaurantje, als je daar

heen gaat, dan vind ik je daar wel.'

'Hoe kan ik u herkennen?'

'Even nadenken', lacht Hans. 'Ik heb een wandelstok in mijn hand, die is van mijn vader. Dus als je een jongeman met een wandelstok ziet, dan ben ik het,' lacht Hans opnieuw.

'Goed idee. Ik doe een rood hoofddoekje om mijn hals. Je weet wel, die verkopen ze hier veel met een schipperspet erbij, maar die pet zet ik niet op hoor,' lacht Irma vrolijk.

'Daar heeft u gelijk in. We vinden elkaar wel over zo'n twee uur. Ik ga nu van huis.'

'Hoe heet u ook alweer?'

'Hans, en jij?'

'Irma…'

'Goed Irma, tot zo dan. Doe voorzichtig.'

'Jij ook… het is druk op de weg deze kant op,' zegt Irma alsof ze Hans al lang kent.

'Oké, tot zo dan.' Ze drukt haar mobieltje uit. Ondertussen zijn haar twee vriendinnen ook uit zee gekomen en vragen nieuwsgierig: 'Wie was dat… Wie was die Hans?'

'Heb ik dan zijn naam genoemd?'

'Ja, heb je een vriend,' lachen ze alle twee.

'Nee… ik moet nu meteen gaan,' zegt Irma, terwijl ze haar spullen in haar rugtas doet.

'Wacht even jij. Wij zijn met z'n drieën uit en gaan ook met z'n drieën weer naar huis en geen stiekeme afspraakjes jij.'

'Het heeft te maken met die man uit de krant die vermist is.'

'O, was het de politie en heet die agent Hans?'

'Nee, het was een familielid. Hij komt mij halen.'

'Jij lijkt wel gek. Je gaat toch zomaar niet met een vreemde man mee.'

'Als jullie zo goed willen zijn om mij met mijn auto naar de pont te brengen, oké?'

'Maar dat gaat zomaar niet. Wij willen dat familielid eerst ook wel eens zien voor we jou je gang laten gaan,' zegt Hanna, de oudste van de drie.

'Nee, niets daarvan. Jullie blijven hier op Texel. Vanavond ben ik wel weer terug.'

'Goed, je moet het zelf weten; je bent oud en wijs genoeg om zelf te beslissen en bel even als je die vent ontmoet hebt, zodat wij niet ongerust zijn over je.'

'Schiet nou maar op. Over twee uur moet ik aan de andere kant zijn bij Den Helder,' zegt Irma nerveus.

'Volgens mij ben je al verliefd op zijn stem,' plaagt Hanna.

'Doe gewoon zeg…'

'Oké, we gaan met je mee.'

'Jullie brengen mij niet verder dan naar de pont, voor de rest red ik mijzelf wel.'

'Wij kunnen toch gewoon met je meegaan naar de overkant.'

'Nee…'

'Waarom niet? Wij kunnen dan gezellig gaan winkelen in Den Helder. Het moet er gezellig zijn volgens jou,' zegt Hanna.

'Nou ja… goed dan,' antwoordt Irma, die het zelf ook wel plezieriger vindt om niet alleen zo'n vreemde man te moeten ontmoeten.

Ze lopen snel naar het pension en kleden zich om en stappen in de auto van Irma. De pont staat klaar. Ze hebben geluk. Er varen in de vakantietijd wel drie veerboten heen en weer tussen Texel en het vasteland.

Ze rijden de auto de veerpont op. Als hij veilig op zijn plaats staat, gaan ze met z'n drieën naar boven en genieten op het dek van het uitzicht.

'Moet je zien hoeveel kwallen er hier in het water zitten.'

'Ik heb er een keer een om mijn arm gehad en toen was mijn hele arm rood en het prikte vreselijk,' zegt Irma.

'Was dat hier aan het strand?'

'Ja.'

'Dan ga ik niet meer in zee,' zegt Hanna, die nogal bang uitgevallen is voor vreemde beesten.

'Het gebeurt bijna nooit. Ik kom hier al zo lang met mijn ouders en het is mij maar een keer overkomen.'

'Het lijkt mij anders niet zo'n prettig gevoel,' houdt Hanna vol.

'Blijf niet zo aan het zeuren, joh. We moeten weer naar onze auto; we zijn er bijna,' zegt Irma wat nerveus.

Ze rijden van de pont af richting het restaurant dat Hans aan Irma heeft opgegeven. Irma parkeert haar auto voor het restaurant. Ze stappen uit en gaan naar binnen. Ze gaan aan een tafeltje zitten. Irma kijkt nerveus op haar horloge.

'Nemen we nog wat te drinken?' vraagt Hanna, die altijd dorst en honger heeft en ook wat gezet is.

'Haal voor mij maar een koffie zwart met een gevulde koek,' zegt Irma.

Als ze alle drie een gevulde koek met wat drinken hebben, zegt Gisela: 'Weet je wel hoe die kerel eruitziet?'

'Hij heeft een wandelstok bij zich,' antwoordt Irma.

'Het is dus een oude man,' lacht Hanna.

'Nee... hij neemt een wandelstok van zijn vader mee, zodat ik hem herken.'

'O, het valt weer mee,' lachen ze alle twee.

'Maar hoe herkent hij jou?'

'Daar zeg je wat... ik zou een rode zakdoek kopen en die om mijn hals doen... helemaal vergeten,' zegt Irma wat geschrokken.

'We zien vanzelf wel wie het is. Zo'n vent kijkt in het rond of hij een meisje ziet met een rode zakdoek en dan kan hij even rustig gaan zitten. Als hij een wandelstok bij zich heeft, letten wij op hem of hij wel te vertrouwen is,' zegt Hanna.

'We zien wel...'

Ze zitten al aan hun tweede kopje koffie als er een grote brede jongeman met donker haar binnenkomt. Hij heeft een wandelstok bij zich en kijkt in het rond. Dan kijkt hij naar de drie meisjes. Hanna en Gisela beginnen te giechelen, maar Irma staat op, loopt naar hem toe en vraagt: 'Bent u Hans...?'

'Ja, en jij Irma?'

'Ja,' antwoordt Irma wat verlegen als ze in zijn donkere ogen kijkt en haar ogen neerslaat.

'Waar is je rode halsdoek?'

'Gewoon vergeten,' antwoordt Irma met een nerveus lachje.

'Kom je er even bij zitten,' zegt Irma, terwijl ze hem voorgaat naar het tafeltje waar haar vriendinnen zitten. Ze staan op en geven Hans een hand en stellen zich voor.

Hans gaat bij hen aan tafel zitten en voelt zich wat ongemakkelijk bij drie vreemde meisjes. Hij staat snel weer op en zegt: 'Ik ga even wat te drinken halen. Willen de dames ook nog wat drinken?'

'Ja, doe voor mij maar een glaasje fris,' zegt Hanna vrolijk.

'Wil je er wat bij hebben?'

'Graag een gevulde koek; die zijn hier heerlijk.'

'Hanna...' zegt Irma, die zich schaamt.

'Geeft niet. Jullie hebben vast al een tijd op mij zitten wachten en ik ben er zelf ook wel aan toe als je zo'n twee uur achter het stuur hebt gezeten,' lacht Hans.

Als Hans naar de bar is, zegt Irma: 'Je hebt al twee gevulde koeken op... schaam je.'

'Knappe vent... een flinke kerel. Echt een Hollandse jongen, zal ik maar met hem mee gaan?' zegt Hanna met een gemeen lachje op haar gezicht.

'Het gaat hier om een ernstige zaak. Je weet niet wat je zegt,' antwoordt Irma kwaad.

'Neemt u mij niet kwalijk, ik maakte maar een grapje,' zegt Hanna dan met een gemaakt ernstig gezicht.

'Hanna heeft wel gelijk... het is een knappe vent,' zegt Gisela nu ook.

'Het is niet belangrijk hoe hij eruitziet. Zijn familie zit in de problemen. Zijn zus mist haar man al maanden en het is te hopen dat ik de goede man voor mij heb die bij ons in het ziekenhuis is behandeld,' zegt Irma ernstig.

'Ja, dat is te hopen voor je,' antwoordt Gisela.

Dan komt Hans terug met een dienblad met fris, twee gevulde koeken en een kom koffie en zegt: 'Als de andere dames zich nog hebben bedacht en nog wat willen drinken, dan haal ik voor jullie ook nog wat.'

'Nee, wij hebben al twee keer wat gehad, dank je,' zegt Irma beleefd.

Als ze naar buiten lopen neemt Irma afscheid van haar vriendinnen en loopt ze met Hans naar zijn grote jeep. Als ze in willen stappen, ziet Irma dat haar vriendinnen worden lastiggevallen door drie jongens. Ze zien er wat onguur uit en hebben petten die ze over hun voorhoofd hebben getrokken.

'Dat gaat daar niet goed,' zegt Irma angstig. Hans loopt naar hen toe en zegt: 'Wegwezen hier!' terwijl hij breed voor hen gaat staan. Ze vallen hem alle drie aan. Een van hen wil hem een trap geven. Hans vangt zijn been op en draait hem om. De jongen slaakt een gil en valt op de grond, dan vallen de andere twee hem aan. Hans pakt een van hen bij zijn jack en broek, tilt hem boven zich en laat hem dan op de grond vallen. De twee liggen op de grond te kermen van de pijn en de derde gaat er snel vandoor. Als Hans de twee op de grond de rug toekeert, roept Hanna: 'Kijk uit, hij heeft een mes!'

Hans draait zich snel om en laat hem op zich afkomen. Als hij dicht bij hem is en hem wil steken, geeft Hans snel een trap tegen de hand met het mes. Het mes valt op de grond en de jongen valt opnieuw kreunend op de grond. Nu gaat Hans bij hen staan, geeft hen een trap tegen de benen en zegt: 'Opstaan en wegwezen!' Ze staan kreunend op en lopen zo snel mogelijk weg.

Irma is snel naar haar vriendinnen gelopen. Ze hebben met verwondering naar het gevecht gekeken en waren erg angstig hoe het af zou lopen. Hanna riep steeds: 'Laten we snel weg lopen.'

Hans trekt zijn jack recht en zegt: 'Daar hebben jullie voorlopig geen last meer van.'

Ze kijken hem verbaasd aan totdat Hanna zegt: 'Het leek wel een film, zoals jij kunt vechten.'

Hans lacht tegen haar en zegt: 'Zulke jongens moet je nooit afwachten, maar meteen aanpakken. Het zijn meestal slappelingen die alleen maar oude mensen en meisjes lastigvallen.'

'Het is maar goed dat jullie nog niet weg waren. Wat zouden ze van ons willen?'

'Geld en spullen. Ze gebruiken meestal drugs en dat kost geld,' legt Hans uit.

'Gaan jullie nog naar de stad?' vraagt Irma wat geschrokken.

'Waarom niet. Zoiets overkomt ons geen tweede keer en ik weet nu hoe ik ze aan moet pakken,' lacht Hanna, die flink van postuur is en niet zo snel bang.

Irma neemt opnieuw afscheid van haar vriendinnen en wacht samen met Hans totdat ze van het parkeerterrein wegrijden. Dan stappen Irma en Hans in de jeep en rijden snel weg langs het kanaal.

'Je hebt een flinke jaap,' zegt Irma in gebrekkig

Nederlands.

'Je mag gerust Duits spreken hoor, ik versta het goed, alleen spreek ik het niet perfect.'

'Dan verstaan wij elkaar in ieder geval goed,' lacht Irma verlegen.

Irma neemt hem van opzij op en ziet dat hij niet alleen keurig gekleed is, maar ook erg knap.

'Hoe gaat het met je zus Suze?'

'Niet zo best. Ze woont voorlopig bij ons op de boerderij.'

'Hebben jullie een boerderij?'

'Ja...'

'Dus je bent boer van beroep?'

'Dat heb je goed geraden.'

'Dat zou je anders niet zeggen.'

'Waarom niet?'

'Je zit zo netjes in het pak.'

'Ik moest een dame ophalen en daar heb ik mij netjes voor aangekleed. Ik luister nog goed naar mijn ouders,' lacht Hans.

'Ben je dan niet getrouwd?'

'Nee...'

'O... schrikt Irma van haar eigen vraag.

'Jij zeker ook niet, omdat je met je vriendinnen op vakantie bent.'

'Nee, wij zijn alle drie vrijgezel en genieten nog van onze vrijheid,' antwoordt Irma vrolijk.

'Het is maar net hoe je vrijheid beleeft.'

'Hoe bedoel je dat?'

'Getrouwde mensen kunnen ook gelukkig zijn.'

'Was je zus gelukkig?'

'In het begin wel ja...'

'Wat is er dan misgegaan?'

'Ruzie om een tv en nog wat dingen,' zegt Hans, die er liever met een vreemde niet over praat.

'Daar hoef je toch geen ruzie om te maken. Het zijn toch

geen kinderen?'

'Het lijkt mij verstandig dat mijn zus je dat zelf vertelt,' antwoordt Hans terwijl hij moeilijk kijkt.

'Neem het mij niet kwalijk. Ik hoop dat ze haar man weer terugkrijgt als hij het inderdaad is.'

'Hoe wist jij dat mijn zus Suze heet?'

'Hij had een trouwring om en binnen in die ring stond haar naam,' legt Irma uit.

'Dat is slim van jullie. Had hij verder geen papieren op zak, zodat jullie wisten waar hij vandaan kwam?'

'Nee, hij had alleen een broek, een overhemd en schoenen aan.'

'Dat klopt, zo is hij ook het huis uitgevlucht,' antwoordt Hans, die er nu niet meer aan twijfelt dat het zijn zwager Evert moet zijn.

'Hij is dus van huis gevlucht?'

'Hij was erg overspannen en wist niet meer wat hij deed.'

'Dat hij helemaal bij ons is terechtgekomen,' zegt Irma.

'Dat begrijpen wij ook niet. Wij hadden hem echt niet in het buitenland gezocht. Hij was nogal op zichzelf en erg stil van aard. Het was een beste kerel. Jammer dat het allemaal zo moest gebeuren...' zucht Hans.

Ze rijden het erf van de boerderij op. Irma is verbaasd over de grote boerderij. Hans stapt snel uit, loopt om de auto en opent het portier voor haar. Als ze uitstapt en haar rugtas pakt, staat er een klein meisje achter haar.

'Woont papa bij jou...?' vraagt Tanja wat verlegen.

'Nee... ik ken jouw papa misschien wel,' zegt Irma terwijl ze zich vooroverbuigt naar Tanja.

'Wat praat jij raar,' zegt Tanja, die nog nooit Duits heeft gehoord.

'Ik kom uit een ander land,' antwoordt Irma dan zo goed mogelijk in het Nederlands.

'Woont papa daar ook?'

'Dat denk ik wel...'

'Waarom breng je papa niet naar ons?'

'Als jouw papa dat goedvindt, gaan we hem misschien wel halen.'

'Mag ik dan ook mee?'

'Ja hoor, als je moeder het goedvindt.'

'Is dat land heel ver?'

'Nee hoor, hij woont in Duitsland. Dat ligt naast jullie land en daar kom ik ook vandaan.'

'Woont mijn papa dan bij jou.'

'Nee hoor, jouw papa is een beetje ziek.'

Dan pakt Hans Tanja bij de hand, neemt haar mee naar binnen en zegt tegen haar: 'Jij nieuwsgierig Aagje. Kom, dan gaan wij je moeder opzoeken. Deze mevrouw komt bij ons op visite. Leuk hè?'

'Ze heeft papa niet meegebracht. Heb jij papa niet gezien?' houdt Tanja vol.

'Nee, papa komt misschien wel weer thuis. Hij houdt heel veel van jou.'

'Heeft papa dat tegen jou gezegd?'

'Nee joh, ik ben niet bij jouw papa geweest.'

'O... zucht Tanja teleurgesteld.

Als ze binnenkomen en Irma ze allen een hand geeft, wijst de moeder van Hans haar een stoel aan de grote tafel aan.

'Wat wilt u drinken? U zult wel honger en dorst hebben na zo'n lange reis.'

'Dat valt wel mee. Ik weet niet of u al gegeten heeft?'

'Wij eten vroeg, maar Hans moet ook nog eten, dan blijft er allicht wat over,' lacht zijn moeder.

'Geef ons eerst maar wat te drinken,' zegt Hans, die liever nog wat praten wil als hij ziet dat Suze erg moeilijk kijkt en vragen wil stellen.

'Mag ik u wat vragen?' vraagt Suze als ze het knappe

Duitse meisje ziet.

'Wat wilt u weten mevrouw?'

'Zeg het maar Suze.'

'Mijn naam is gewoon Irma voor jullie.'

'Irma, wat is er met mijn man gebeurd?'

'Hij werd 's nachts bij ons in de stad door een paar dronken jongens in elkaar geslagen. Hij heeft toen een paar flinke tikken tegen zijn hoofd gekregen en kwam toen bij ons in het ziekenhuis terecht,' legt Irma uit.

'Lichamelijk is hij er snel bovenop gekomen, maar geestelijk niet. Hij heeft een tijdje in coma gelegen. Toen hij eruit kwam kon hij niet meer normaal praten en was hij zijn geheugen kwijt,' vertelt Irma.

'Wat heeft u met mijn man te maken; bent u verpleegkundige of zo?'

'Dat ben ik vroeger geweest en toen ben ik verder gaan studeren voor spraaktherapeut. Ik kreeg ook uw man als patiënt.'

'Kan hij nu weer praten?'

'In het begin ging het heel moeilijk en zagen wij het niet meer zitten, maar wonder boven wonder ging het steeds beter met hem en kwamen wij erachter dat hij uit Nederland komt.'

'Waarom hebben jullie dan de politie in Nederland niet gewaarschuwd?'

'Er lopen zoveel buitenlanders bij ons rond die geen onderdak hebben en rondzwerven. Toen ik zag dat hij bij het eten zijn handen vouwde wist ik dat hij gelovig was, net als ik. Toen heb ik de dominee van ons ziekenhuis erbij gehaald en die heeft veel voor hem gedaan. Hij heeft veel voor hem gebeden.'

'O... heeft hij het nooit over ons gehad?'

'Nee... uit zijn verleden was alles uitgewist. Alleen door zijn trouwring waar uw naam in staat, werd hij emotioneel.'

'Ligt hij nog steeds in het ziekenhuis?'

'Nee, hij is uit het ziekenhuis gevlucht en zwerft bij ons in de stad rond met een muzikant. Daarom dachten wij dat hij voor dat incident met die dronken jongens ook zwerver was geweest en hebben wij hem met rust gelaten. Totdat ik hier op vakantie kwam met mijn vriendinnen en toen die foto van uw man in de krant zag...' legt Irma uit.

Dan laat Suze haar hoofd op tafel zakken en begint te huilen.

14

Wat moeten ze nu? Suze is erg overstuur als ze hoort waar haar man is en hoe hij eraan toe is. Ze weet niet of ze nu blij of verdrietig moet zijn. Deze jonge vrouw vertelt over haar man of zij hem beter kent dan zijzelf. Evert is de Evert van vroeger niet meer, dat is eigenlijk al een paar jaar zo. Nu vertelt deze vrouw haar dat hij zijn geheugen kwijt is en niets meer van vroeger weet. Hij is die nacht in elkaar geslagen in Duitsland en kwam in een ziekenhuis terecht. Wat moest hij in Duitsland doen zo ver van huis? Waarom is hij diezelfde avond niet naar huis gekomen en had hij geen spijt? Nu weet hij niks meer van wat er gebeurd is. Spreekt deze vrouw wel de waarheid of doet Evert zich voor alsof hij niks meer weet van vroeger? Deze jonge vrouw is erg knap. Ze merkt wel dat ze af en toe naar Hans kijkt en soms een kleur krijgt. Moet ze nu naar Evert gaan en alles geloven wat ze van hem zeggen? Ze weet het niet meer. Ze verlangt soms erg naar hem. Zelf weet ze heel goed dat ze ondanks alles wat er is gebeurd nog steeds van hem houdt. Toch is er iets dat haar bang maakt voor hem.

Dan zegt Hans tegen zijn zus: 'Suze, zou je het aankunnen?'

Suze kijkt haar broer aan en schudt haar hoofd zonder antwoord te geven. Haar ouders weten ook niet wat ze hiermee aan moeten. Suze zal zelf moeten beslissen of ze mee wil gaan om haar man te halen. 'Misschien wil hij helemaal niet meer mee terug naar mij en is hij daar in Duitsland gelukkig.'

'Als hij je ziet, dan wil hij vast met je mee naar huis,' zegt haar moeder dan.

Suze kijkt Irma aan en vraagt: 'Ben je wel echt hier op vakantie?'

'Hoe bedoel je?'

'Nou ja…' Verder durft Suze haar gedachten niet te uiten.

'Ja, ik ben hier op vakantie met mijn vriendinnen. Je broer heeft mij opgehaald,' antwoordt Irma nu wat verlegen.

'Waarom vraag je dit, Suze?' zegt Hans.

'Heeft mijn man je gestuurd?' vraagt Suze voorzichtig.

'Nee, hoezo?'

'Durft hij niet bij mij terug te komen? Wil hij doen alsof hij ons niet meer kent en probeert hij op deze manier van mij af te komen? Ik kan niet geloven dat hij zich niets meer kan herinneren van wat er is gebeurd. Het is toch niet zo dat hij ons in de steek laat en jou op ons afstuurt…' aarzelt Suze.

'Maar… maar u gelooft toch niet dat ik dit allemaal heb verzonnen?'

Suze haalt haar schouders op en het is een tijdje stil in huis totdat Irma opstaat en tegen Hans zegt: 'Wil je mij naar de trein brengen. Ik ga terug naar mijn vriendinnen. Ik laat mij niet zo behandelen. Terwijl ik mijn best heb gedaan en dacht jullie een grote dienst te bewijzen toen ik die foto uit de krant herkende. Ik kan er niets aan doen dat uw man nu zo is…' verder komt Irma niet. Ze loopt naar de deur en loopt snikkend naar buiten.

Hans loopt haar achterna en pakt haar bij de arm.

'Irma… Irma… mijn zus is gewoon wat in de war. Ze heeft de laatste tijd zo veel doorgemaakt en vooral nu ze hoort hoe hij eraan toe is. Hij is bij haar weggelopen. Hij heeft wat op zijn geweten. Suze vertrouwt hem niet meer. Ze is gewoon overstuur. Ze meent het niet en ik kan haar begrijpen, maar jou ook. Toe Irma, geloof mij nou…' smeekt Hans.

Irma draait zich om en kijkt Hans aan. Ze leunt tegen zijn jeep aan. Hans ziet dat er tranen over haar wangen lopen. Wat zou hij graag dit meisje in zijn armen willen sluiten en vertroosten. Hij durft het niet. Hij heeft nog steeds een van haar armen vast. Dan laat Irma haar hoofd zakken en zegt met een zachte stem: 'Het is beter dat ik hier wegga. Jullie weten nu waar hij is en zoeken het nu zelf verder maar uit.'

Ze veegt haar tranen af en rukt haar arm los die Hans nog steeds vasthoudt.

'Nee Irma, je blijft hier,' zegt Hans.

'Breng mij naar het station, dan bel ik mijn vriendinnen dat ze mij van de trein halen in Den Helder. Ik ga terug naar Texel... Ik ben daar op vakantie. Had ik maar nooit die foto in de krant gezien en hoe kom ik zo stom om hierheen te gaan. Ik denk dat de arts in het ziekenhuis gelijk had.'

'Wat wil je daarmee zeggen?'

'Dat haar man al gestoord was voordat die jongens hem in elkaar sloegen.'

'Nee Irma... ik heb Evert goed gekend als mijn zwager. Het was een fijne vent. Behalve de laatste tijd, toen ging het fout tussen die twee. Hij gaf in het begin mijn zus overal haar zin in en dat brak hem later op. Hij heeft geprobeerd te leven zoals mijn zus het gewend was van huis uit. Hij had een heel andere opvoeding genoten, maar werd verliefd op mijn zus en had alles voor haar over. Hij ging 's zondags twee keer met haar naar de kerk en nam haar gewoonten over. Ze kregen een dochtertje. Het leek een voorbeeldig gezin. Hij werkte tot laat in de avond, zodat ze een eigen huis konden kopen en een auto. Maar toen kwam de ware Evert van vroeger tevoorschijn, ging hij aan de drank en miste het leven dat hij vroeger gewend was. Hij was bijna geen avond meer thuis.

In het begin maakte hij mijn zus wijs dat hij bij mensen aan het klussen was, wat hij ook daarvoor altijd deed. Maar hij zat in de kroeg of bij zijn ouders voor de tv met een pilsje. Het werd steeds erger. Hij ging 's nachts achter de computer zitten en keek naar porno. Suze maakte toen ook veel mee... Hij was niet meer de man die ze getrouwd had. Hij was verslaafd aan die vreselijke porno en alles wat daarbij hoort. Hij gaf haar de schuld. Omdat

Suze geen tv in huis wilde…' legt Hans uit.

'Maar waarom kwam ze hem daarin niet tegemoet?'

'Je bedoelt die tv?'

'Ja… en ze kon toch met hem praten over die porno en zo?'

'Wij kunnen daar niet zo inkomen, Irma. Het doet pijn als het je eigen man is,' zegt Hans.

'Toch is ze tekortgeschoten. Hij had te veel toegegeven in het begin wat betreft haar levenshouding. Hij kon dat niet meer volhouden.'

'Het zou kunnen.'

'Mogen jullie geen tv kijken?'

'Nee… nou mogen is een zwaar woord.'

'Wat is daar dan verkeerd aan. Het is toch een medium voor nieuws of vermaak, hoe je het ook wilt noemen,' zegt Irma.

'Dat zie je verkeerd, Irma.'

'Hoezo?'

'Je kunt eraan verslaafd raken. Er zijn mensen die niet meer zonder kunnen. Ze zitten elke avond voor de tv en gaan nergens meer heen. De tv is hen de baas, vooral wat sport betreft, dan zitten bijna alle mensen voor de buis. De tv regelt hun leven,' legt Hans uit.

'Maar dat hoeft niet. Je kunt afspraken maken.'

'Hoe wil je dat doen?'

'Je bekijkt een tv-programma dat verantwoord is. Ik weet ook wel dat er veel troep op is. Dat is bij ons in Duitsland precies hetzelfde. Iedereen, maar vooral als je een gezin hebt, moet je er samen over kunnen praten.'

'Wij hebben makkelijk praten, Irma.'

'Waarom?'

'Jij bent waarschijnlijk ook christelijk opgevoed.'

'Ja, dat is zo…'

'Als je thuis van kinds af aan met de tv bent opgegroeid en

je ouders nergens kwaad in zien, dan valt het niet mee als dat ineens is afgelopen. Je past je aan je levenspartner aan, waar je veel van houdt, maar dan ineens ga je het missen in je leven. Je gaat zoeken op je pc naar zaken die niet verantwoord zijn. Je gebruikt de computer dan niet waar hij eigenlijk voor bedoeld is,' zegt Hans.

'Toch is een pc niet meer weg te denken uit ons leven,' zegt Irma.

'Je bedoelt dat wij in een computertijdperk leven?'

'Zo moet je het wel zien.'

'Toch ben ik het daar niet helemaal mee eens,' antwoordt Hans.

'Hoe zou het dan in een ziekenhuis of een bedrijf moeten zonder een computer?'

'Ach, jullie doen net alsof de mensen vroeger achterlijk waren met hun typemachine en hun pen of potlood,' lacht Hans.

'Zo bedoel ik het nou ook weer niet. In deze wereld zal er steeds weer wat nieuws komen waardoor er sneller gewerkt kan worden in ziekenhuizen en bedrijven. Je kunt een computer niet meer wegdenken. Als zo'n computer in een ziekenhuis of bedrijf zou wegvallen, dan zijn de gevolgen niet te overzien. Ze hebben daar allerlei voorzieningen voor getroffen zodat er weinig fout kan gaan, toch blijft het mensenwerk. Al geven wij vaak de computer de schuld als er wat fout gaat,' legt Irma uit.

'Daar moet ik om lachen. Je lijkt het personeel van onze bank wel: Ik kwam een keer geld storten. Ze wilden het niet aannemen, het systeem van hun computer was uitgevallen. Toen ben ik daar tekeergegaan! Zo kon ik die dame achter het loket aan het verstand brengen dat ik nu mijn geld wilde storten en dat ik anders naar een andere bank ging. Er kwam al snel een afdelingshoofd aan die mij op zijn kantoor riep. Hij regelde alles voor mij zonder computer. Toen vroeg hij mij of ik niet wilde bankieren via internet, dus met mijn computer. Ik vertelde hem dat ik geen internet heb, maar dat was geen probleem. Ik mocht het ook bij de bank wel doen. Ze zouden mij erbij helpen.

Ik lachte de man recht in zijn gezicht uit. Hij vroeg waarom ik zo moest lachen. Toen antwoordde ik: 'Hoe moet het nu dan? Jullie hele computersysteem ligt plat." Hij zei: "O meneer, dat is geen probleem. Het is binnen een paar uur weer opgelost en we hebben alle bestanden nog. Het kan bij ons nooit mis gaan. Toen wees ik hem op het bordje dat boven de balie hing: Als er hier iets mis gaat, dan heeft de computer het gedaan." Op de klok die er naast hing stond een tekst: Onze klok wordt nooit gestolen, want daar kijken wij de hele dag op,' lacht Hans.

'Dat moet je als een grap zien.'

'Mooie grap.'

'Maar heb je echt geen computer in huis hier op de boerderij?'

'Nou ja, ik heb een laptop, maar die gebruik ik als tekstverwerker.'

'Toch zou je er veel plezier van kunnen hebben op de boerderij.'

'Nee, ik moet eigenlijk niks van die dingen hebben, maar je kunt er bijna niet meer zonder. Wij werken graag met onze handen,' legt Hans uit.

'Maar je hebt toch wel een melkmachine en zo?'

'Dat wel, ja.'

'Die tractor en machines lijken mij ook niet mis,' zegt Irma als ze om zich heen kijkt.

'Dat is onmisbaar tegenwoordig. De melk ging vroeger in melkbussen die door een vrachtwagen werden opgehaald. Nu hebben we een tank die ze leeg komen pompen. In het begin was het wel even wennen en vooral voor mijn vader,' legt Hans uit.

'Toch zul je zien dat jij in de toekomst internet en andere computertoepassingen gaat gebruiken. Zelfs een boer kan in de toekomst niet meer zonder,' legt Irma uit.

'Dat zegt mijn zus ook altijd. Ze werkte voordat Evert ervandoor ging een paar dagen op kantoor. Ze werkte daar met de pc en thuis hadden ze er ook één. Ze leerde haar man zelf met internet omgaan. Hij volgde een cursus voor uitvoerder in de bouw en daar had hij ook een pc voor nodig. Je weet hoe het verder gegaan is met Evert. Was hij er maar nooit aan begonnen.'

'Alles heeft een slechte, maar ook een goede kant. Zo is het met alles. Wij hebben allemaal onze verantwoording en zeker als christen,' zegt Irma ernstig.

'Dat ben ik helemaal met je eens. De duivel is slim en weet overal gebruik van te maken. Hij is begonnen met de verboden vrucht in het paradijs,' antwoordt Hans.

'Jij had dominee moeten worden,' zegt Irma.

'Nee, niks voor mij. Laat mij maar hier heerlijk in de vrije natuur leven. Al die ellende van tegenwoordig. Een predikant heeft het tegenwoordig zwaar door al die dingen waar wij het net over hadden. Nee, dat zou ik niet aankunnen. Ik heb respect voor een predikant. Elke zondag twee, soms drie keer preken en dan al die ellende van de gemeente waar hij bij geroepen wordt. Hij heeft het zwaarder dan een psychiater moet je maar denken.'

'Dat is wel zo. Toch moeten wij dankbaar zijn dat er nog zulke mensen zijn.'

'Mijn zus heeft veel aan haar predikant gehad. Er is veel gebeden in de gemeente voor haar, Tanja en Evert.'

'Waarom doet ze dan zo vreemd tegen mij?' vraagt Irma wat moeilijk.

'Je moet ook eerst in haar schoenen gaan staan. Evert is weggelopen. Nadat Suze erachter kwam dat hij porno zat te kijken, heeft hij haar geslagen en is er toen vandoor gegaan.

Nu krijgt ze te horen dat hij in Duitsland zit en nergens meer van weet.'

'Maar ik heb het haar toch uitgelegd.'

'Dat wel ja. Ze dacht altijd aan twee dingen: of hij leeft niet meer en heeft zichzelf wat aangedaan of een ander heeft hem gedood. Maar de laatste tijd was ze er bang voor dat hij bij een andere vrouw zat. Ze ging zich schuldig voelen, maar nu jij als jonge vrouw met dat verhaal komt, weet ze niet of het op waarheid berust. Ze heeft al te veel met haar man meegemaakt. Hij was de laatste tijd erg verkeerd bezig. Zij denkt dat hij jou heeft gestuurd en net doet of hij niks meer weet uit het verleden. Je moet haar ook begrijpen Irma.'

'Geloof jij mij?' vraagt Irma, terwijl ze hem recht aankijkt.

'Ja, Irma, ik geloof jou en wij hebben jouw hulp erg hard nodig. Je moet ons helpen Evert terug te brengen naar de werkelijkheid,' antwoordt Hans.

'Dat zal moeilijk zijn zolang Suze zo over mij denkt,' zegt Irma wat bewogen.

Dan gaat de deur van de boerderij open en komt de kleine Tanja naar hen toe rennen. Ze gaat voor Hans en Irma staan, die nog steeds bij de jeep staan.

'Oom Hans, ga jij trouwen met tante Irma?'

Ze krijgen alle twee een kleur.

Hans tilt haar op en zegt: 'Ik ga met jou trouwen.'

'Dat kan niet, ik ben nog te klein.'

'Nou, dan wacht ik toch tot jij groot bent.'

'Maar dan ben jij al oud en ik wil trouwen met Jordy bij ons in de klas,' zegt Tanja dan ernstig.

'Dus je hebt al een vriendje?' vraagt Irma lachend.

'Jij praat nog steeds raar. Kun jij niet zoals wij praten?'

'Jawel, maar niet zo goed als jij hoor,' zegt Irma.

'Blijf je op de boerderij wonen als je met ome Hans trouwt?'

Irma weet niet wat ze moet zeggen en kijkt verlegen naar Hans.

Hans geeft haar een knipoog en zegt: 'Dan moet ze boerin worden, net als oma.'

'Ja en dan moet ze helpen de stal schoon te maken en mag ze dan ook op de tractor?'

'Als ze dat durft,' lacht Hans, die er plezier in krijgt.

'Wanneer gaan jullie trouwen?' begint ze weer opnieuw.

'Wij gaan niet trouwen. Wij gaan eerst jouw papa ophalen,' zegt Hans.

'Mag ik dan mee en gaat mama ook mee?'

'Dat weet ik nog niet, wijsneus,' zegt Hans.

'Kom, dan gaan we weer naar binnen,' zegt Hans terwijl hij Irma aankijkt. Irma knikt en kijkt hem moeilijk aan. Ze loopt achter Hans aan terwijl hij Tanja op zijn arm draagt.

Als ze binnenkomen zijn alleen de ouders van Hans nog in de woonkamer. Ze gaan aan de grote tafel zitten.

'Waar is Suze?' vraagt Hans.

'Naar boven,' antwoordt zijn moeder.

'Oké, ik ga wel even met haar praten,' zegt Hans.

Even later komt Hans met Suze naar beneden. Ze zien aan haar rode ogen dat Suze gehuild heeft. Ze loopt naar Irma, steekt de hand naar haar uit en zegt met een zachte stem: 'Ik heb er spijt van... fijn dat je toch nog terug bent gekomen...'

'Geeft niet joh... ik begrijp het heel goed... je hebt een rottijd achter de rug...'

Hans kijkt op de grote staande klok die in de kamer staat en zegt dan tegen zijn moeder: 'Ma, wil je wat broodjes voor ons klaarmaken, dan gaan we naar Duitsland om Evert op te halen.'

'Maar het is al bijna avond,' zegt zijn moeder.

'Dat weet ik. Wij overnachten wel ergens in een hotel, tenminste als pa mij morgen kan missen?' vraagt Hans.

'Maar ik ga echt niet mee,' snikt Suze.

'Waarom niet?'

'Ik kan het gewoon niet…'

'Maar het is je eigen man en bovendien beloofde je mij, dat je mee zou gaan.'

'Nee… nee, ik durf het niet…'

'Oké.' Dan kijkt Hans Irma aan en vraagt: 'Zou jij met mij mee willen gaan? Jij weet ook ongeveer waar hij rondhangt bij jullie in de stad.'

'Nou ja, ik heb eigenlijk vakantie en mijn vriendinnen rekenen erop dat ik vanavond weer terug kom bij hen.'

'Goed… leg mij dan maar uit waar ik hem vinden kan.'

Zonder wat te zeggen haalt Irma haar mobieltje uit haar rugtas en toetst een nummer in.

'Ja met mij… ik ga terug naar Duitsland. Ik ga met Hans mee… oké… misschien ben ik morgen weer terug… ik bel je nog wel en doen jullie voorzichtig met mijn auto… Doei…'

Het is nu erg stil geworden in de woonkamer totdat Hans' moeder opstaat en broodjes gaat klaarmaken. 'Jullie moeten ook wat drinken meenemen.'

Suze staat op, geeft Irma een paar zoenen op haar wangen en snikt: 'Bedankt dat je dit voor ons wilt doen…'

'Het is goed joh… wij vinden je man wel, maak je niet ongerust,' antwoordt Irma.

'Geef mij het rijbewijs van Evert en zijn paspoort,' zegt Hans tegen Suze.

'Wacht, ik zal het boven uit mijn tas halen.'

'Goed dat je daaraan denkt,' zegt Irma.

Dan stappen ze samen in de grote jeep van Hans en gaan op weg naar Duitsland.

15

Ze passeren de Nederlands-Duitse grens. Onderweg eten ze een broodje.

'Als je liever onderweg nog wat wilt eten, stoppen we ergens, dan moet je het wel eerlijk zeggen,' vraagt Hans terwijl hij Irma van opzij aankijkt.

'Nee, laten we maar doorrijden. Hier op de Duitse snelwegen mag je harder rijden dan bij jullie op die propvolle snelwegen,' zegt Irma.

Hans geeft geen antwoord, maar kijkt haar van opzij aan. Het is een knap meisje. Vooral als ze hem met die mooie blauwe ogen aankijkt. Wat heeft hij toch? Hij is één keer in zijn leven verliefd geweest. Maar door die vervelende ervaring wil hij nooit meer wat te maken hebben met het vrouwvolk. Hij is vijfentwintig en heeft het goed naar zijn zin thuis op de boerderij bij zijn ouders. Het is elke dag hard werken en op die manier kon hij het verdriet vergeten.

Hij hield veel van zijn eerste jeugdliefde, Sientje. Hij dacht dat ze ook van hem hield, maar ze ging achter zijn rug om met een ander. Hij heeft die vent een behoorlijk pak slaag gegeven, ook al was dat dom van hem. Tenslotte kon hij er niets aan doen. Zij bedroog hem. Hij heeft er zijn buik van vol. Hij heeft er jaren last van gehad en kon niet echt meer van een meisje houden. Er waren er genoeg die gek op hem waren, maar Hans wilde zich niet meer binden aan een meisje. De angst zat er nog goed in door zijn jeugdliefde. Soms, als hij aan haar denkt, voelt hij nog verdriet. Als je echt verliefd bent geweest, doet het pijn als je op zo'n manier aan de kant wordt gezet. Er is dan ook geen meisje goed genoeg voor hem. Toch is er iets in hem dat hem bekend voorkomt. Het is een vonk die in hem smeult en hij is bang dat deze tot ontbranding komt. Dit meisje is niet alleen erg knap, maar ze heeft iets dat hij zelf niet kan verklaren… hij moet zich niet zo laten gaan. Ze heeft trouwens misschien wel een andere vriend in Duitsland waar ze verliefd op is. Hoewel ze in Nederland met twee vriendinnen op het eiland Texel op vakantie is.

'Is het nog ver rijden?' vraagt Hans.

'Nog zo'n honderd kilometer.'

'O, komen wij dan niet te laat?'

'Het zou kunnen. Misschien is hij nog ergens bij een restaurant waar hij ook vaak met zijn vriend komt,' legt Irma uit.

'Wat moet hij daar doen?'

'Zijn vriend speelt daar vaak liedjes op het terras met zijn accordeon.'

'Maar daar heeft Evert toch niks aan?'

'Daar heb je gelijk in. Toch is hij vaak bij hem.'

'Vreemd…'

'Het valt mij op dat jij zo vlot Duits spreekt, Hans.'

'Daar heb je gelijk in.'

'Heb je Duits geleerd of ben je vaak in Duitsland geweest?'

'Vroeger ben ik daar een tijdje op een Duitse landbouwschool geweest. Een van mijn vrienden, die ook boer is, ging er ook heen. Het is een speciale school met veel stageplaatsen.'

'Maar die heb je bij jullie toch ook?'

'Toch gaan er wel meer Nederlanders naar die school en er zijn zelfs boeren die in Duitsland gaan boeren.'

'Die vriend van jou zeker ook?'

'Dat heb je goed. Hij heeft een boerderij overgenomen en heeft het goed naar zijn zin.'

'Wil jij ook later in Duitsland gaan boeren?'

'Nee.'

'Waarom niet?'

'Mijn ouders hebben een mooie boerderij zoals je weet

en daar heb ik het goed naar mijn zin.'

'Die kun je toch verkopen en je ouders kunnen hier ergens in een mooi landhuisje of zo gaan wonen, of je neemt ze mee op een Duitse boerderij. Er is hier genoeg land te koop om een boerderij te beginnen.'

'Nee, dat lukt niet, oude mensen moet je niet verplaatsen. Onze boerderij is van geslacht op geslacht overgegaan en dat doet mij wel wat.'

'Toch is hier in Duitsland veel meer ruimte en goed land.'

'Daar heb je gelijk in, maar als ik echt naar een ander land zou gaan, dan liever naar een warm land,' antwoordt Hans.

'Naar Afrika of zo?'

'Nee, daar is het voor blanke mensen niks meer. Canada, of Australië misschien.'

'Dat zullen je ouders helemaal afkeuren denk ik,' lacht Irma.

'Dat heb je goed. Laat mij maar lekker in ons kikkerland-je blijven aanmodderen. Trouwens, waar maak jij je druk om?' lacht Hans terug.

'Omdat je zo goed Duits spreekt, dacht ik dat je misschien bij ons in Duitsland een meisje hebt gehad,' grapt Irma.

Hans schudt alleen maar zijn hoofd.

'Heb je verkering Hans?'

'Dat heb ik je meen ik al gezegd.'

'Neem mij niet kwalijk dat ik zo nieuwsgierig ben.'

'Dat geeft niet...'

'Is het uit of zo?'

'Ik heb een slechte ervaring met meisjes...'

'Praat je er liever niet over?'

'Nou ja...'

'Breng ik je in verlegenheid... heeft ze je laten zitten?'

'Zo iets ja...'

'Hield je van haar?

Hans knikt.

'Heb je daarna nooit meer een ander meisje gehad?'

'Nee… ik ben ongelukkig in de liefde, net als mijn zus Suze,' antwoordt Hans ernstig.

'Dat zal best goed komen met je zus.'

'Het is te hopen. Het is vast een familiekwaal,' lacht Hans dan gemaakt.

'Nee, dat denk ik niet.'

'Wat denk jij dan wel?'

'Wat mijn zus betreft heeft het meer met het geloof te maken en is ze gewoon te ver gegaan,' antwoordt Hans.

'Dat zou kunnen. Je kunt mensen het geloof niet opdringen en zeker niet als je er nooit wat aan gedaan hebt.'

'Daar heb je gelijk in, toch is Evert te ver gegaan. Hij had gewoon met haar kunnen praten en niet zo stiekem moeten doen. Bovendien heeft hij zijn vrouw in elkaar geslagen en is ervandoor gaan. Hij laat een vrouw en kind achter. Mijn zus is er helemaal kapot van,' zegt Hans emotioneel.

'Dat was verkeerd van je zwager Evert, dat geef ik toe. Toch gebeurt het veel als een van de twee streng in het geloof is opgevoed en de ander meegaat, dan komen er meestal brokken van.'

'Toch hoeft het niet. Ik heb vaak met hem over het geloof gesproken. Hij dacht er wat anders over. Hij hield niet van al die wetjes die de mens er zelf heeft bijgemaakt. Hij zag vaak geen kwaad in dingen, zoals bijvoorbeeld tv en naar voetbal kijken. Hij vertelde mij een keer dat hij God lief had boven alles en zijn naaste als zichzelf en toen legde ik hem uit dat een mens dat niet uit zichzelf kan. Hij legde uit dat het de volmaking van de wet is en dat de kerken daar te weinig aandacht aan besteden.'

'Had hij daar gelijk in?'

'Bij ons worden de tien geboden voorgelezen, maar niet de samenvatting van de wet, de hoofdsom.'

'Waarom niet?'

'Omdat het al in de tien geboden verweven zit. Alleen niet zo als de Heere Jezus het zelf zegt.'

'Jammer dat ze dat bij jullie niet doen.'

'Nou ja, ik heb het er met de dominee over gehad en dan krijg je als antwoord: De mensen praten tegenwoordig zo makkelijk over liefde, maar kennen alleen de liefde voor zichzelf. Het is zondig als je het niet na kunt komen,' legt Hans uit.

'Daar ben ik het niet mee eens. Het is belangrijk dat een gemeente elke zondag te horen krijgt dat wij God lief moeten hebben boven alles en onze naaste als onszelf. Het is immers de volmaking van de wet en het grootste gebod. Ik weet ook wel dat wij dat uit onszelf niet kunnen. Toch vraagt God het van ons en wil Hij het ons elke zondag voorhouden, dan is het een gebrek van de kerk als ze dat niet doen,' zegt Irma ernstig.

'Je zult wel gelijk hebben. De kerken bij jullie in Duitsland zijn natuurlijk wel anders dan bij ons.'

'Elk land heeft zijn verschillen wat godsdienst betreft, maar er is één God en als wij geloven in Zijn Woord dat Hij ons gegeven heeft, de Bijbel, dan komen wij al dichter bij elkaar. Neem bijvoorbeeld de berijmde psalmen die wij zingen, die zijn zo vol van het geloof. In elk land worden die gezongen, steeds in een andere taal. Is dat geen wonder op zich?'

'Dat ben ik helemaal met je eens. Toch is er wel degelijk een verschil hoe je zingt.'

'Hoe bedoel je dat?'

'Soms kom ik wel eens in een kerk en dan lijkt het of ze de psalmen ter ere van zichzelf zingen, met allerlei instrumenten. Dat was ook het geval toen ik nog in Duitsland bij een boer werkte en er ook naar de kerk ging.'

'Ergens kan ik je begrijpen, toch mag je er niet over oordelen. Elk land heeft zijn eigen gewoonten en dat zie je vaak in warme landen, zoals in Afrika. Daar klappen ze in de handen en dansen ze onder het zingen. Die mensen zullen het toch ook wel goed bedoelen?'

'Dat vraag ik mij wel eens af,' zegt Hans eerlijk.

'Wat vraag jij je dan af?'

'Nou, ik ken jonge predikanten die naar de zending gingen. Als ze na een paar jaar terugkwamen bij ons in de kerk hadden ze heel andere ideeën. Ze wilden niet meer in onze kerk preken zoals het hoort. Ze gingen heel anders preken en de kerk liep leeg. Je ziet het nu overal gebeuren. Onze kerk zit elke zondag twee keer helemaal vol en zelfs op woensdagavond. Begrijp jij daar wat van?'

'Je vergist je. De jeugd heeft de toekomst en als je eens wist hoeveel jeugd er naar een bijeenkomst in een gewone fabriekshal of zelfs een stadion gaat,' legt Irma uit.

'Is dat niet te werelds en ter ere van de mens? Voel jij je er thuis… ik niet…'

'Soms wel… ik ben er een paar keer geweest, maar ga met mijn ouders naar de Lutherse kerk. Men is bij ons nog behoorlijk behoudend. Mijn ouders moeten ook niks hebben van het moderne. Toch is het mooi om te zien dat veel jeugd terugkeert tot het geloof, ook al is het anders dan wij gewend zijn.'

'Nee, ik zou er niet aan kunnen wennen.'

'Heb jij wel eens om je heen gekeken naar de jeugd in de kerk?'

'Wat wil je daarmee zeggen?'

'Of ze wel luisteren naar de preek en meezingen?'

'Nou ja… ze zijn nog jong moet je maar denken en ik was vroeger ook geen heilige in de kerk,' zegt Hans eerlijk.

'Heb je wel eens met de jeugd van jullie kerk gesproken?'

'Jawel…'

'Moeilijk hè?'

'Soms wel, toch blijft er wel wat hangen. God werkt op

Zijn wijze. Als je ouder wordt, dan ga je anders denken over zulke dingen. Vooral als er vreemde dingen gebeuren in je leven, dan zing je niet de hele dag halleluja, maar eerder: Vergeef mij al mijn zonden die Uwe Hoogheid schonden...' zegt Hans oprecht.

'Of God heb ik lief; want die getrouwe Heer,' antwoordt Irma.

'Ja... dat ook.'

Dan naderen ze het stadje waar Irma woont.

'Rijd maar naar dat parkeerterrein, dan kunnen we zo de stad inlopen,' zegt Irma.

'Oké...'

Hans parkeert zijn jeep op een groot parkeerterrein dat al goed vol staat.

'Het is hier behoorlijk druk op een doordeweekse dag.'

'Het is vakantietijd en dan is het bij ons druk in de stad. Er zijn hier veel vakantiegangers om van de mooie omgeving te genieten.'

'En jullie trekken naar onze vakantieplaatsen aan zee.'

'Zeg dat wel...'

Ze stappen uit en lopen naar een terrasje waar al veel mensen zitten.

'Wat wil je drinken?'

'Laten we maar naar binnen gaan, ik heb best trek in wat eten,' zegt Irma.

'Ja, je hebt gelijk,' zegt Hans, die zich schuldig voelt dat hij er niet aan heeft gedacht dat ze nog geen warm eten hebben gehad. Ze gaan in een hoekje bij een raam zitten. Een ober komt op hen af en vraagt: 'Wilt u eerst wat drinken?'

'Ja graag...'

'Mag ik gelijk de bestelling opnemen?'

'Even kijken...'

'Neemt u mij niet kwalijk, ik zal eerst wat te drinken voor

u halen, dan kunt u rustig kijken,' zegt de ober.

'Dat lijkt mij ook verstandig,' zegt Hans in het Nederlands.

'Komt u uit Nederland?' vraagt de ober.

'Dat heeft u goed gehoord,' lacht Hans.

'Er zijn veel Hollanders in onze stad,' legt hij uit.

'Fijn, dan voel ik mij veilig,' lacht Hans vriendelijk terug.

Als ze wat fris hebben gedronken, krijgen ze ieder een wienerschnitzel met gebakken aardappeltjes en groenten.

'Ziet er goed uit. Ik dacht dat Duitsers alleen braadworst aten,' zegt Hans.

'En Hollanders boerenkool,' kaatst Irma terug.

'Daar heb ik best zin in, met een braadworst,' lacht Hans.

'Geniet nou maar van dit eten en klets niet zo veel,' plaagt Irma.

'Komt Evert hier ook wel eens… ik bedoel, speelt die man hier ook wel eens met zijn accordeon?'

'Hij speelt op veel terrassen van restaurants, maar of hij hier ook komt, dat weet ik niet,' antwoordt Irma.

'Zal ik het aan de ober vragen?'

'Je kunt het proberen.'

Hij wenkt de ober en vraagt: 'Komt hier wel eens een muzikant met een accordeon?'

'Niet in het restaurant, ze spelen vaak op het terras.'

'Ook hier?'

'Soms… ik heb ze vandaag nog niet gezien,' zegt de bediende.

'Zijn ze met z'n tweeën?'

'Ja, er is er een bij die speelt accordeon, dat doet hij al jaren, maar nu heeft hij iemand bij zich die op een mondharmonica speelt,' legt de ober uit.

'Bedankt… mag ik afrekenen,' zegt Irma dan.

'Nee, ik betaal, ben jij helemaal,' zegt Hans snel.

'Wat is daar gek aan?'

'Je hebt je vakantie al voor ons opgeofferd.'

'Je naaste liefhebben als jezelf,' zegt Irma in gebroken Nederlands.

'Dat zeg je mooi en toch betaal ik,' zegt Hans terwijl hij afrekent.

Ze gaan naar buiten en kijken om zich heen. Ze horen verschillende talen spreken en ook Nederlands. Ze lopen langs veel terrasjes door de straten van het stadje, maar zien geen Evert. Als het al tegen tien uur is, gaan ze op een terras zitten en kijkt Irma Hans verschrikt aan.

'Wat is er?'

'Ik ben vergeten mijn ouders te bellen om ze op de hoogte te stellen dat ik mijn vakantie heb onderbroken en nu hier ben.'

'Ze zullen toch niet schrikken als ze horen dat je een vreemde man bij je hebt,' lacht Hans spottend.

'Dat denk ik wel,' lacht Irma terug terwijl ze haar mobieltje pakt en het nummer van haar ouders intoetst.

'Hoi mam… ja met mij… ja alles is goed met mij… schrik niet. Ik ben hier in de stad… Nee, er is niks gebeurd. Ik vertel het jullie wel en ik heb een logée bij me… nee, dat niet. U hoort het zo wel. Ja, tot zo,' zegt Irma terwijl ze haar mobieltje uitzet, in haar rugtas stopt en zegt: 'Zullen we maar gaan?'

'Dus je denkt dat Evert niet meer komt met zijn vriend?'

'Nee, dat denk ik niet.

'Die ober vertelde over een ander met een mondharmonica?' vraagt Hans.

'Dat is vast een ander. Evert kan volgens mij geen mondharmonica spelen,' zegt Irma.

'Toch wel…'

'Weet je dat zeker?'

'Toen mijn zus hem leerde kennen kon hij heel goed op

een mondharmonica spelen.'

'Dat hoor je tegenwoordig niet veel meer,' zegt Irma.

'Hij heeft het vroeger van zijn opa geleerd en die speelde heel goed, in een soort bandje. Evert leerde het van hem als kleine jongen.'

'Leuk zeg, dat zullen die twee dan wel zijn waar die ober het over had.'

'Dat denk ik ook. Hij mocht van Suze niet meer spelen. Hij speelde allerlei ouderwetse straatliedjes en later ging hij er psalmen op spelen, maar dat vond mijn zus zonde. Hij heeft toen, waar mijn zus bijstond, zijn mondharmonica in de vuilnisbak gegooid en beloofde haar er nooit meer op te spelen.'

'Wat kortzichtig. Hij heeft er nu zeker één gekregen van die man met zijn accordeon.'

'Maar als hij zijn geheugen kwijt is, hoe kan hij dan spelen?'

'Zulke dingen zijn vaak onverklaarbaar. Zelf heb ik in een verpleeghuis ook een oude man zien spelen op een mondharmonica. Hij was dement.'

'Dus het zou kunnen?'

Dan komen ze bij het grote huis aan de rand van de stad. Het huis staat in een groot park.

'Woon jij hier?'

'Ja...'

'Heb jij rijke ouders...'

'Mijn vader werkt ook in het ziekenhuis.'

'Dan is hij geen gewoon doktertje, denk ik.'

'Nee, hij is professor.'

Hans slaakt een diepe zucht. Hij ziet ertegen op om deze mensen te ontmoeten en zegt dan ook snel: 'Ik kan ook vannacht ergens in een hotel gaan slapen.'

'Ben je mal, kamers genoeg,' lacht Irma.

Ze worden vriendelijk ontvangen en onder het genot van een glas wijn vertellen Irma en Hans waarom ze hier in de stad zijn.

'Het is te hopen dat jullie hem morgen mogen ontmoeten, anders kun je beter even langs het politiebureau gaan, navraag doen en zijn papieren laten zien,' zegt Irma's vader.

'Dat lijkt mij een goed idee; dat had ik eigenlijk direct moeten doen toen ik hier aankwam,' zegt Hans.

16

Diezelfde nacht wordt Evert wakker in de oude fabrieksloods naast zijn vriend Frits. Hij gaat rechtop zitten en kijkt
wild om zich heen. Waar is hij... was dit een droom of werkelijkheid... Die beelden... dat bloed... dat kind... de
vlucht... waar is hij nu... Evert houdt zijn gezicht in zijn
handen. Hij is nat van het zweet en kreunt opnieuw... nee
dat niet...

Hij staat op en wandelt de loods uit. Waar moet hij
heen... wordt hij gek of is hij gek... Het was een droom,
maar het liet hem de werkelijkheid zien. Dromen kunnen
vaak emoties uit het verleden terugbrengen.

Dan komt alles opnieuw op hem af... ja, het is de waarheid. Het verleden achtervolgt hem opnieuw in zijn dromen.
Het is makkelijk achteraf te zeggen dat dromen bedrog zijn,
maar ze zijn voor hem een nachtmerrie. Het is voor hem
werkelijkheid geworden. Hij herkent er zichzelf en zijn verleden in. Die vrouw... zijn vrouw... dat kind... Hij hoort
haar roepen: 'Papa kom terug!... nee, dit kan hij niet verdragen. Die vrouw die hij met een fles op haar hoofd sloeg...
hij is een moordenaar... hij heeft zijn vrouw vermoord, de
moeder van zijn kind. Het is werkelijkheid. Hij is op de
vlucht als een moordenaar van zijn eigen vrouw. Op de
vlucht... hij heeft zijn vrouw vermoord. Hij is op de vlucht
voor zichzelf... nooit zal hij die beelden meer kwijtraken, hij
zal ze zelfs niet uit zijn geheugen kunnen wissen. Ze pijni-
gen hem... wie is hij... waarom leeft hij nog... wat heeft zijn
leven voor nut. Hij hoort in de gevangenis te zitten, net als
die andere mannen die porno kijken en hun vrouw ver-
moorden. Hij heeft geen recht om vrij rond te lopen.

Evert loopt door de stad. Het is diep in de nacht. Hij komt
wat vrolijke vakantiegangers tegen die tegen hem roepen.
Hij laat zijn hoofd zakken. Hij is dicht bij het station. Hij

blijft stilstaan terwijl hij naar een huis kijkt. Ziet hij het goed dat die man die uit het raam hangt naar hem kijkt? Het is een warme nacht, overal staan de ramen open om mensen wat verkoeling te geven. De man kijkt naar hem en steekt zijn hand tegen hem op.

Voorzichtig steekt ook Evert zijn hand op. De man roept wat tegen hem, of verbeeldt hij het zich. Dan lijkt het of alles begint te draaien. Hij kan niet meer op zijn benen staan en zakt in elkaar. De man roept vanuit het raam opnieuw wat tegen hem. Nu verstaat hij het: 'Voelt u zich niet goed?'

Evert wil snel weglopen, maar kan niet overeind komen. Dan staat dezelfde man naast hem en zegt: 'Bent u het... wat zoekt u hier weer midden in de nacht?'

Evert krijgt een flauwte en zakt in elkaar. De man belt de politie, die al snel ter plaatse is. Evert ligt bewusteloos op de grond.

'Te veel gedronken?' vraagt de agent aan de man die gebeld heeft.

'Nee... ik herken deze man ergens van... wacht, maanden geleden liep hij hier ook midden in de nacht en werd hij door een stel jongens in elkaar geslagen. Toen stond ik ook toevallig voor het raam en heb ik jullie gebeld. Volgens mij is het een zwerver of zo.'

De agent pakt Evert bij zijn pols en schudt hem wakker.

Evert kijkt de agent aan en probeert op te staan, dan vraagt de man: 'Ken ik u niet... hebben ze u niet hier in elkaar geslagen een paar maanden geleden en naar het ziekenhuis gebracht?'

Voorzichtig staat Evert op, schudt zijn hoofd en wil weglopen.

'Waar woont u?' vraagt een van de agenten.

Op dat moment hoort Evert een trein. Hij is dicht bij het station.

Hij zegt: 'Ik moet met de trein mee.'

'Voelt u zich wel goed?' vraagt de man wat bezorgd.

'Jawel...'

'Hij heeft maanden geleden zwaar gewond in het ziekenhuis gelegen. Misschien is hij wat in de war.'

Een van de agenten vraagt of hij papieren bij zich heeft. Evert schudt zijn hoofd.

'Zullen we u naar de trein brengen?'

Opnieuw schudt Evert zijn hoofd.

'Laat hem maar gaan,' zegt de andere agent.

'Oké...'

Dan loopt Evert richting het station, gaat daar op een bankje zitten en neemt zijn hoofd tussen zijn handen. Hij ziet nu alles weer scherp voor zich. Die nacht... het kwam allemaal opnieuw op hem af... hij was op de vlucht voor dat vreselijke. Hij was een moordenaar toen die jongens op hem afkwamen en hem in elkaar sloegen.

Het is een warboel in zijn hoofd. Toch past de puzzel steeds meer in elkaar. Hij was op de vlucht voor dat vreselijke... zijn vrouw... hij had een lieve vrouw, maar er was iets dat hem kapotmaakte... die beelden... hij kon niet meer zonder. Hij was een van die mannen die naar porno kijkt tot diep in de nacht. Het komt allemaal terug en staat nu weer scherp op zijn netvlies. Die nachtmerrie bracht hem terug naar de werkelijkheid, terug naar het verleden. Nu spreekt zijn geweten. Hij, die als een moordenaar dacht te ontkomen. Maar zijn geweten heeft hem altijd aangeklaagd en nu is er de waarheid. Hij weet nu waar die vreselijke pijn in hem vandaan komt, hij heeft het vannacht opnieuw beleefd. Hij werd in elkaar geslagen en wist niets meer uit het verleden. Het werd uitgewist, maar zijn dromen waren werkelijkheid geworden. Die man die daar uit het raam vertelde wat hij toen niet meer wist. De waarheid achtervolgt hem.

Zijn vrouw... ze lag als dood op de vloer... die computer tegen de muur... dat kind dat hem achterna riep: 'Papa...

papa kom terug!'

Het zweet staat dik op zijn voorhoofd.

Er stopt een trein waar mensen uitstappen. Nee, hij kan niet meer terug... het is te laat... een moordenaar kan nooit meer thuiskomen... een pornoverslaafde. Hoe kon hij nu van die beelden genieten? Hij is voor zichzelf een vreemde geworden, toch is hij tot de werkelijkheid teruggekeerd. Die naam die in zijn ring stond... dat was zijn vrouw... Suze... hij heeft haar bedrogen met porno en zij betrapte hem... hij doodde haar. Hij voelt de lege wijnfles in zijn hand geklemd, waar hij haar mee op het hoofd sloeg. Ze lag dood te bloeden op de grond en dan dat kinderstemmetje... zijn kind... wat is hij een vreselijke man en vader. Hoe heeft hij er zo lang mee rond kunnen lopen. Zijn geheugen werd in diezelfde nacht uitgewist. Nu komt het met alle hevigheid op hem af. Hij weet niet veel meer van vroeger... maar dat vreselijke... is terug...

Evert staat op en loopt langs het spoor. Hij blijft het spoor volgen. Het is er erg donker. Soms valt hij en staat dan weer op. Hij hoort het geluid van water en ziet de spoorbrug voor zich. Wat moet hij hier in het donker? Er is geen mens. Als hij midden op de spoorbrug staat, kijkt hij in de diepte en ziet het donkere water stromen. Hij vouwt zijn handen, kijkt omhoog en schreeuwt naar de hemel om hulp, maar het blijft stil. Dan buigt hij zijn hoofd en laat zich voorover vallen in de diepte van het donkere water. Er volgt een plons en dan is het stil in de nacht.

Frits wordt al vroeg in de morgen wakker en ziet dat zijn vriend niet meer op zijn matras ligt. Hij wast zich zeker bij de kraan in de fabriekshal, denkt Frits.

Frits houdt niet zo van koud water. Die Hollander wast zich te veel, dat is ook niet goed voor je lichaam.

Als Frits al een paar broodjes op heeft, staat hij op, rekt

zich uit en loopt de fabriekshal uit naar buiten.

'Waar zal die kerel toch zitten?'

Hij gaat bij de kraan kijken waar ze nog wat water uit kunnen krijgen, maar geen Evert. Hij zal er toch niet vandoor zijn. Het is wel een rare snuiter. Het zou jammer zijn. Ze waren samen een aardig stel nu hij ook mondharmonica kan spelen.

Frits loopt terug en ziet dat de spullen van Evert er nog liggen. Zelfs zijn mondharmonica, waar hij zo gek mee was. Wat kon die vent goed spelen. Hij was gewoon een wonder. Wat was hij blij toen hij die mondharmonica van hem kreeg. Eigenlijk had hij hem voor zichzelf gekocht. Hij kon er ook op spelen, maar die Hollander kon het beter.

Waar blijft die vent nou. Als hij er maar niet vandoor is. Het is niet het soort zwerver dat hier vaker in deze hal overnacht. Nee, het is een nette vent, maar in zijn bovenkamer zit het niet goed.

Hij is niet voor niks het ziekenhuis uit gevlucht. Ze wilden hem in een verpleeghuis opsluiten. Gelijk heeft hij. Hem krijgen ze daar ook nooit in. Hij is er vaak geweest, op avonden dat hij voor die zielige mensen mocht spelen. Als je zo op de dood moet wachten, dan kun je beter langs de weg zwerven. Frits gaat opnieuw kijken of hij Evert ergens kan vinden. Die gek is er vast vandoor, waar zou hij heen zijn?

Frits pakt zijn rugtas en de zak waar zijn accordeon in zit en loopt naar de stad. Hij gaat eerst ergens op een terrasje zitten om een paar borrels te drinken. Zo komt hij een beetje in de stemming. Hij wacht totdat er eerst wat mensen op het terras zitten en speelt dan zijn deuntjes. Hij heeft de hoge hoed voor zich staan, zodat mensen er geld in kunnen gooien.

Als hij wat terrasjes heeft gehad, gaat hij ergens naar binnen om nog wat te drinken en koopt gelijk een broodje in het restaurant.

'Hoi die Frits,' zegt een jongeman.

'Van hetzelfde jongen. Het is nog niet erg druk.'

'Je bent nog te vroeg Frits.'

'Toch is het anders om deze tijd wel eens drukker.'

'Volgens mij heb je al te veel gedronken. Het is nog vroeg. Je had gisteravond moeten komen, toen had ik veel gasten. Er was een Hollands span bij en die vroegen naar je vriend.'

'Je bedoelt die Jan de Hollander?'

'Ja...'

'Wilden ze mij horen spelen?'

'Nee, dat niet. Ze wilden weten waar hij woonde en zo.'

'Heb je mijn adres doorgegeven,' lacht Frits.

'Ik weet niet waar jullie wonen.'

'Dat is maar goed ook. Wij houden niet van pottenkijkers en zeker niet van vreemden. Ik heb mijn rust hard nodig als ik zo'n hele dag door de stad heb gezworven.'

'Waarom is je vriend er niet?'

'Weet ik veel. Hij was er vanmorgen niet toen ik wakker werd.'

'Dan hebben die mensen hem zeker gevonden.'

'Dat kan niet. Hij heeft vannacht bij mij gelogeerd en toen ik wakker werd, was hij ervandoor. Hij komt wel weer terug. Hij kan niet zonder mij.'

'Dat weet je niet, Frits. Die Hollanders waren naar hem op zoek.'

'Was het van hetzelfde soort als hij?'

'Hoe bedoel je?'

'Nou ja... een beetje van dat stille soort.'

'Nee... volgens mij woont zij hier en heeft zij een Hollandse vriend.'

'Dat heb jij snel gezien, trouwens, je had het net over twee Hollanders?'

'Nou ja, zij sprak ook een behoorlijk mondje Nederlands.'

'Komen ze hier vaker?'

'Dat meisje heb ik hier vaker gezien. Zij komt hier wel eens eten. Het is een net meisje en niet het soort zoals jullie.'

'Dan wil ze zeker een deuntje van mij horen. Jammer dat we nooit eens bij jullie binnen mogen spelen.'

'Dat wil de baas niet.'

'Waarom niet? De mensen worden er alleen maar vrolijker van.'

'Er komen hier veel zakenlui eten.'

'O, was die Hollander ook een zakenman?'

'Nee, ze hadden belangstelling voor je vriend. Misschien willen ze hem ergens op laten treden. Hij speelt heel bijzonder,' zegt de ober.

'Dan heeft hij mij daar ook bij nodig. Dacht je niet?'

'Ze hadden het niet over jou.'

'Als die Jan de Hollander er alleen vandoor gaat om te spelen, dan is hij erg ondankbaar.'

'Maak je niet druk man, zolang jij de kost nog voor jezelf kunt verdienen, moet je niet klagen. Je hebt een prachtig vrij leven. Je moet nooit voor een baas gaan werken, al verdien je nog zoveel geld,' lacht de ober, die Frits goed kent.

'En jij dan?'

'Ik heb niet de talenten die jij bezit. Ik mag hier de mensen bedienen, de boel schoonhouden voor een paar centen en ik ben bijna geen avond vrij.'

'Laat je baas het maar niet horen.'

'Die is er toch niet. Hij komt meestal zo tegen de avond als het druk begint te worden,' legt de ober uit.

'Dus dat meisje was een Duitse en ze komt hier vaker?'

'Dat heb je goed.'

'Vreemd dat ze naar Jan de Hollander vragen... zou het dat meisje zijn uit het ziekenhuis... die kwam wel eens vaker bij hem praten als wij speelden op de markt,' zegt Frits.

'Ik zou het niet weten…'

'Het zou kunnen,' zegt Frits met zachte stem. Hij weet dat Evert uit het ziekenhuis is weggelopen.

Frits is toch ongerust over Evert, al is hij best wat gewend.

Als hij terug is in de oude fabrieksloods en opnieuw ziet dat de spullen van Evert er allemaal nog liggen, zelfs zijn mondharmonica, dan heeft hij een vermoeden dat Evert ervandoor is en niet weet wat hij doet. Hij heeft Evert leren kennen als iemand die niet veel meer uit zijn verleden weet. Hij heeft vaak nachtmerries en rare dromen en praat vaak midden in de nacht hardop in zijn slaap. Zou hij terug zijn naar Holland of heeft hij toch dat meisje ontmoet die met die Hollander op pad was, dan moet hij er vannacht vandoor zijn gegaan. Ze hebben gisteravond nog een slaapmutsje gedronken voordat ze gingen slapen.

Hij voelt zich schuldig tegenover Evert. Hij heeft hem eigenlijk ook wel een beetje misbruikt. De laatste tijd verdienden ze behoorlijk veel geld en dat kwam ook door toedoen van Evert. Hij speelde veel ouderwetse liedjes op zijn mondharmonica. Maar hij hield al het geld zelf en zorgde dat Evert zijn natje en droogje op tijd kreeg. Aan kleren gaven ze niets uit. Je kunt niet als twee heren op terrassen en de markt gaan spelen, dat past gewoon niet. Hij had Evert ook een gedeelte van het geld moeten geven dat ze verdienden, piekert Frits.

Als hij nu eens in het ziekenhuis ging vragen, waar Evert uit gevlucht is. Zo gaat Frits op pad naar het ziekenhuis. Hij gaat naar de balie en vraagt of er vannacht iemand is opgenomen.

'Twee mensen, een vrouw en een man. Bent u familie of zo?' vraagt het meisje aan de balie.

'Nee, het is een maat van mij en hij heeft hier al een keer gelegen.'

Het meisje heeft al snel in de gaten dat ze met een vreemd

soort man te maken heeft die erg naar alcohol ruikt.

Ze roept een van de broeders erbij en zegt: 'Wil jij die man te woord staan, ik kan geen wijs uit hem worden.'

'Wat is er aan de hand meneer?' vraagt de broeder.

'Het is erg belangrijk… mijn maat en ik werken samen als muzikant en hij is er ineens vandoor.'

'Dan bent u hier op het verkeerde adres, dan moet u bij de politie zijn meneer,' antwoordt de broeder.

'Maar het is een beetje een rare… hij heeft hier gelegen en is er toen vandoor gegaan…'

'Hoe bedoelt u?'

'Nou ja… het is al een tijdje geleden. Hij is hier toen weggelopen, het zat niet goed in zijn hoofd.'

'Daar zijn er zoveel van. Daar kan ik niks mee als u geen naam weet.'

'Hij werd Jan de Hollander genoemd en er werkt hier een verpleegkundige die hem leerde praten…'

'O, je bedoelt Irma?'

'Dat zou kunnen.'

'Die is met vakantie.'

'O…'

'U kunt toch beter bij de politie navraag doen,' zegt de broeder, die liever heeft dat Frits het ziekenhuis verlaat.

'Nou ja, als er wat met hem gebeurt, dan moet je niet bij mij zijn, het zit bij hem niet goed in zijn bovenkamer en dat moeten jullie hier ook weten.'

'Nogmaals, als hij voor u onvindbaar is, dan kunnen wij ook niks beginnen. De politie weet misschien meer,' antwoordt de broeder ongeduldig.

'Ik ga al,' zegt Frits wat kort.

Moet hij nu echt naar het politiebureau? Hij kan beter nog wat in de stad rondkijken. Misschien is Evert wel voor zichzelf begonnen, omdat hij nooit geld van hem kreeg. Hij wil misschien nu zelf wat geld gaan verdienen, zodat hij terug kan naar Holland... piekert Frits.

Zo gaat Frits met zijn accordeon op zijn rug weer op weg naar de stad. Hij speelt nog wat liedjes en kijkt om zich heen of hij Evert ergens kan ontdekken of hem ergens hoort spelen op zijn mondharmonica.

17

Hans kan die avond niet in slaap komen, wat een weelde en rijkdom. Hij, de gewone jongen, ligt hier boven in een huis... nee, een kasteel. Hij heeft het nachtlampje boven zijn bed aangeknipt en kijkt de kamer rond. Nee, hier kan hij niet in slaap komen. Hij is niet echt moe van het werken op de boerderij. Wat heeft hij vandaag gedaan? Niet veel. Hij is met dit meisje meegegaan. Zijn vader zou voor de boerderij zorgen.

Dan knipt hij het lampje weer uit en blijft met zijn ogen open liggen. Nee, ze zijn thuis niet arm. Hij werkt samen met zijn vader op de boerderij. Het is hard werken. Hij kan al goed merken dat zijn vader af en toe een steek laat vallen en dat hij hem vaak moet helpen. Zijn vader zal het nu ook moeilijk hebben alleen. Ma zal hem veel moeten helpen. Ze is niet vies van een stal uitmesten of de varkens voeren. Soms is ze sterker dan zijn vader.

Wat hebben deze mensen dan een luxe. Twee garages en twee grote auto's. Hij rijdt ook wel een grote jeep, maar die is zeker al weer twaalf jaar oud. Hij, de boerenjongen uit Holland, logeert hier bij de dochter van een professor. Haar vader is directeur van het ziekenhuis. Geen wonder dat zijn dochter ook in dat ziekenhuis een goede baan heeft. Nee, zo mag hij niet denken over hen. Ze heeft gestudeerd voor logopediste en leert mensen goed praten.

Toen hij een tijdje in Duitsland heeft gewerkt liep hij op een boerderij stage. Hij had het daar goed naar zijn zin. Hij is daar ook nog een tijdje op een landbouwhogeschool geweest. Het viel hem tegen op die school. Er kwamen jonge boeren uit Europa en ze praatten veel over hun ervaringen in hun eigen land. Vaak deed hij niet eens mee aan die gesprekken en verlangde hij naar zijn eigen boerderij thuis, piekert Hans.

Nee, hij moet niet piekeren, kon hij maar wat slapen. Morgen moet hij op zoek naar zijn zwager Evert. Wat vertelde Irma hem een vreemd verhaal over Evert... Het zal allemaal wel meevallen. Toch mag hij er niet te gemakkelijk over denken. Als hij aan Suze denkt, wat valt Evert hem dan tegen. Het was altijd een fijne vent die vaak hielp op de boerderij bij een klus. Ze hebben samen nog een grote varkensloods in elkaar gezet.

Hij hoort in de verte een trein. In de nacht hoor je geluiden die je overdag niet hoort. Dan komt het gezicht van Irma in beeld. Ze is erg knap en toch heeft ze geen vriend. Die ogen die zo apart zijn en haar stem... dat is het alleen niet... hij... Nee Hans, niet gaan dromen... zo'n meisje is immers niks voor hem. Toch is ze aardig tegen hem en wil ze hem helpen zoeken. Wat moet zo'n rijk en knap meisje op Texel met vakantie doen. Zulke rijkelui gaan toch meestal met een vliegtuig naar een warm land. Haar vader heeft zelfs een groot jacht, vertelde ze gisteravond en ze houdt veel van de zee. Ze wilde graag aan zee wonen. Ze wonen hier dicht bij een rivier, waar hun jacht in een jachthaven ligt. Haar vader nodigde hem uit met hem mee te gaan op hun jacht als ze Evert hadden gevonden. Het is maar goed dat Irma dat niet wilde, omdat ze terug wil naar haar vriendinnen op Texel, piekert Hans.

Dan valt hij in slaap. Hij wordt wakker door de zon die in zijn kamer schijnt. Hij is dat niet gewend. Bij hen thuis hangen dikke gordijnen voor de ramen en gaan de luiken 's avonds dicht. Ze zijn thuis nog ouderwets, zeggen de mensen wel eens tegen hem. Hij kijkt op zijn horloge dat op het nachtkastje ligt. Voor een boerenzoon is het al laat: acht uur. Snel stapt hij uit bed en wil zijn broek aandoen, maar dan kijkt hij naar buiten. Wat een prachtig uitzicht. Gisteravond toen het donker was kon hij die mooie omgeving niet zien. Nu ziet hij dat dit enorme huis op een rots staat. In de verte ziet hij een rivier en een spoorbrug. Daarom hoorde hij vannacht een paar keer een trein over de spoorbrug rijden. Daar ligt ook een grote jachthaven, daar zal ook wel het jacht van Irma's vader liggen.

Dan schrikt hij als er op de deur wordt geklopt en hij merkt dat hij nog in zijn onderbroek staat.

Voorzichtig zegt hij: 'Ja…?'

'Hans, als je klaar bent, kun je naar beneden komen om te ontbijten,' zegt een meisjesstem.

'Ja… ja ik kom zo…'

'Doe maar rustig aan… je kunt je douchen als je wilt.'

'Ja… ja, dat is goed, bedankt…'

'Goed, tot zo Hans.'

'Ja, ik ben er zo hoor.'

Bij deze logeerkamer hoort zelfs een badkamer met ligbad. En daar is een apart zitje met twee bankstellen. De slaapkamer is net zo groot als bij hen thuis de woonkamer en veel luxer ingericht. Irma zal wel geschrokken zijn. Bij hen thuis op de boerderij is het maar een ouderwets bedoeninkje.

Hij kleedt zich snel uit en gaat onder de douche staan, daar knapt hij echt van op. Als hij durfde zou hij zelfs graag een psalmversje willen zingen. Dat doet hij thuis vaak onder de douche. Hij houdt van de psalmen. Soms is het voor hem een soort bidden als hij een psalm zingt. Hij zingt dan ter ere van zijn God. Nee, dat durft hij hier niet. Zachtjes in zichzelf zingt hij een psalm: Vergeef mij al mijn zonden, die Uwe hoogheid schonden. Daar begint hij meestal mee en dan: God heb ik lief en 't Hijgend hert, der jacht ontkomen, schreeuwt niet sterker naar genot, Van de frisse waterstromen, Dan mijn ziel verlangt naar God. Hans piekert ondertussen: Zouden ze vandaag Evert nog vinden? Zou hij hier inderdaad op zijn mondharmonica spelen, samen met die muzikant met zijn accordeon? Nee, het is niet te geloven…

Irma zal het wel mis hebben… dat kan Evert niet zijn. Hij stapt snel uit de douche, kleedt zich aan, doet de deur open en gaat de trap af.

Als hij beneden is, komt Irma hem tegemoet.

'Goedemorgen Hans… goed geslapen?'

'Ja… het gaat wel…'

'Kom, dan gaan we naar de eetzaal.'

Hij volgt haar en dan ziet hij een grote ronde tafel met zes stoelen, die gedekt staat alsof hij in een restaurant is.

'Ga maar ergens zitten Hans.'

'Maar je ouders?'

'Die zijn al naar hun werk.'

'Zo vroeg?'

'Het is al negen uur geweest.'

'Echt… Hans kijkt geschrokken op zijn horloge en zegt: 'Schande… en dat nog wel voor een boer… zo laat ben ik in jaren niet opgestaan.'

'Toch fijn dat je zo goed kunt slapen.'

'Zeg maar verslapen.'

'Het is wel eens goed om uit te slapen,' zegt Irma terwijl ze tegenover hem gaat zitten.

Ze moest eens weten hoe slecht hij in dit landhuis geslapen heeft. Thuis valt hij altijd als een blok in slaap.

'Zullen we dan maar?' vraagt Irma terwijl ze haar handen vouwt.

'O ja… Hans vouwt snel zijn handen, maar kan van de zenuwen niet echt bidden.

'Eet smakelijk Hans… je neemt maar waar je zin in hebt.'

'Ja… dank je.'

Hij pakt een broodje uit een mandje. Hij kan kiezen uit veel soorten brood en beleg. Als hij een paar broodjes op heeft, zegt Irma: 'Neem ook een eitje, of lust een boer geen ei?'

'Jawel hoor.'

'Doe je best Hans.'

'Lekker zeg, het zijn verse eieren.'

'Zeker weten,' lacht Irma. Ze kan van het gezicht van Hans aflezen dat hij erg verbaasd is over deze overdadig gedekte tafel.

'Dus je moeder werkt ook?'

'Ze werkt ook in het ziekenhuis. Pa en ma hebben elkaar daar leren kennen vroeger. Ze was verpleegkundige en werkt nu op het lab.'

'O...'

'Het lijkt wel een doktersroman als je mijn vader over vroeger hoort vertellen; hoe ze elkaar hebben leren kennen,' zegt Irma terwijl ze tegen hem lacht.

'Dat zal wel.'

Dan vraagt Irma: 'Hans, zie je ertegen op?'

'Waar tegen?'

'Dat jij je zwager zult ontmoeten?'

'Nee... nou ja... ik hoop dat we hem vinden, daar gaat het toch om.'

'Maar je zult hem niet herkennen... ik bedoel, het kan zijn dat hij jou niet herkent.'

'Is het zo erg?'

'Dat heb ik je toch verteld.'

'Dat wel ja. Toch kan ik daar met mijn boerenverstand niet bij en mijn zus zal het ook niet geloven.'

'Het is ook erg moeilijk. Ik heb je zwager alleen na dat ongeluk ontmoet en toen was hij er niet zo goed aan toe. Hij kon in het begin geen woord uitbrengen. Het had er natuurlijk ook mee te maken dat hij geen Duits kende, maar hij heeft een hersenbeschadiging opgelopen en dat kan veel functies uitschakelen. Hij heeft nog geluk gehad wat zijn lichaam betreft. Het gebeurt vaak dat patiënten die uit een coma komen gedeeltelijk verlamd zijn.'

'Dat zal wel... ik snap daar toch niet veel van. Het is voor mijn zus te hopen dat het allemaal nog meevalt, zeker als je hoort dat hij nog mondharmonica speelt.'

'Dat kan hij omdat het hem vroeger is aangeleerd en dat is ook voor artsen erg moeilijk uit te leggen,' zegt Irma.

'Oké, dan zullen we maar naar hem op zoek gaan,' zegt Hans terwijl hij wil opstaan.

'Zullen we eerst danken voor ons ontbijt, Hans?'

'O ja, wat dom van mij…'

Als ze opstaan en Irma haar jack wil aandoen, vraagt Hans: 'Moeten we niet even de tafel afruimen?'

'Nee, dat doet de hulp wel. Die komt zo. Laat maar rustig staan,' zegt Irma.

'O oké… lacht Hans.

'Volgens mij ben jij niet verwend?'

'Nee, wij helpen elkaar thuis meestal. Ook op de boerderij helpt mijn moeder ons veel en ik help haar ook vaak met afdrogen en zo.'

'Je bedoelt de vaat?'

'Ja.'

'Hebben jullie dan geen vaatwasser?'

'Nee, moet dat?'

'Nou ja, ik kan mij zoiets niet meer voorstellen,' lacht Irma.

'Toch is het vaak gezellig om samen de vaat te doen met je moeder. Lekker kletsen, vooral nu ze zo over mijn zus inzit. Die is vaak van streek en dat is ook niet goed voor de kleine Tanja,' legt Hans uit.

'Vraagt zij wel eens naar haar vader?'

'Je bedoelt Tanja?'

'Ja…'

'Nu ze bij ons op de boerderij is, niet zo veel meer. Ze helpt mij vaak en ik breng haar naar school. Ze vertelde mij in het begin eens dat ze gezien had wat haar vader die nacht dat hij wegvluchtte had gedaan. Het moet vreselijk voor dat kind geweest zijn. Ze heeft gezien dat hij de computer tegen de muur smeet en haar moeder met een fles op haar hoofd sloeg.'

'Erg voor zo'n kind, ze kan er wat van overhouden,' zegt Irma met natte ogen.

Ze lopen naar buiten. Hans kijkt waar zijn jeep staat.

'Wat een huis… het lijkt meer op een kasteel.'

'Vind je?'

'Ja… en dan dat uitzicht over het park en in de verte die rivier. Kijk, daar gaat een trein in de verte over de brug.'

'Dat zie ik niet meer. Ik ben hier geboren. Mijn vader heeft het laten bouwen toen hij nog jong was. Hij was al vroeg arts en heeft welgestelde ouders. Mijn moeder kwam uit een gewoon gezin met acht kinderen. Ze was verpleegkundige, maar dat heb ik je al verteld.'

Ze stappen in de jeep van Hans en rijden de uitrit af naar de weg. Dan gaat het mobieltje van Irma.

'Ja met mij?'

'Ha, die Hanna… hoeveel deuken zitten er in mijn auto?' lacht Irma als ze hoort dat ze haar missen.

'Nee, ik kom voorlopig niet terug. Genieten jullie maar… ja, misschien morgen of zo. We gaan nu eerst op zoek naar hem. Daarna gaan we eerst terug naar de ouders van Hans in Nederland. En dan hoop ik weer bij jullie te zijn. De vakantie is nog lang niet om moet je maar denken. Willen jullie dat echt?'

'Hans, ze vragen of je ook meegaat naar Texel als ik terugga?'

'Dat zal wel moeten. Ik breng je terug met de jeep. Je denkt toch niet dat ik je op de trein zet?'

'Hij brengt mij terug naar Texel, dan kunnen jullie hem bedanken. Ja hoor, oké…ik hoor nog wel van jullie. En als we hier klaar zijn, dan bel ik wel. Veel plezier en doe Gisela de groeten en niet te veel eten jij…' lacht Irma terwijl ze haar mobieltje uitdrukt en in haar tas doet.

Ze rijden naar hetzelfde parkeerterrein in de stad waar Hans gisteren zijn jeep heeft geparkeerd. Dan stappen ze uit en lopen naar de winkelstraat. Als ze zo naast elkaar lopen, raken hun handen elkaar aan. Irma lacht naar Hans. Hans schrikt en denkt: Ze zal toch niet denken dat ik haar hand wil vasthouden. Hij weet niet wat hij ermee aan moet. Zou ze dan ook van hem houden? Nee, dat mag hij niet denken.

Plotseling horen ze muziek.

'Hoor je dat?'

'Ja, laten we die kant opgaan. Daar moet het ergens zijn.'

Dan zien ze een wat oudere man met een accordeon.

'Hij is alleen.'

'Misschien is hij ergens anders aan het spelen,' zegt Irma.

Als ze dichterbij komen zien ze dat voorbijgangers geld in de hoed gooien en Frits zegt vriendelijk: 'Dank u wel en nog een fijne dag.'

Dan ontmoeten de ogen van Frits die van Irma en stopt hij.

'Dag jongedame.'

'Dag Frits, waar is je vriend?'

'Je bedoelt Jan de Hollander?'

'Ja...?'

'Nergens te bekennen. Hij is ervandoor, denk ik.'

'Weet je niet waar hij heen is?'

'Nee, echt niet...'

'Heb je zin in een kopje koffie, dan kunnen we even rustig praten,' vraagt Irma. Ze ziet dat er veel mensen om hen heen staan die graag willen dat Frits nog wat speelt.

'Goed, ik ben er ook wel aan toe,' zegt Frits terwijl hij het geld uit de hoge hoed in zijn zak stopt.

'Laten we daar maar gaan zitten,' wijst Frits hen een terras aan.

'Oké,' zegt Irma, die samen met Hans naar een van de tafeltjes loopt.

'Volgens mij hebben wij hier gisteravond nog gezeten,' zegt Hans.

'Ja, je hebt gelijk,' antwoordt Irma met een glimlach naar Hans, die wat nerveus naar Frits kijkt.

'Laat ik mij eerst voorstellen,' zegt Hans terwijl hij Frits een hand geeft en zegt: 'Ik ben de zwager van Evert...'

'Dus hij heet Evert... Een raar geval die zwager van je... Sorry hoor. Hij wist zijn eigen naam niet meer en soms vertelde hij zulke verwarde verhalen. Was hij vroeger ook zo?' vraagt Frits terwijl hij Hans aankijkt.

'Nee,' antwoordt Hans kort.

'Dat is vast gekomen doordat hij in elkaar is geslagen. Je bent tegenwoordig nergens meer veilig met die snotneuzen. Ze willen niet werken, maar hebben wel geld om zich zat te drinken... als jij het begrijpt... ik niet,' zegt Frits wat fel.

Dan komt de ober met koffie en zegt Frits: 'Ken jij deze mensen niet?'

'O ja, u heeft gisteren hier bij ons wat gegeten,' antwoordt de ober vriendelijk.

'Dat klopt ja,' antwoordt Irma.

'Dus Evert is vandaag niet met je meegegaan?' vraagt Irma.

Frits neemt eerst een slok koffie en zegt: 'Dat zit zo... ik werd wakker vanmorgen en hij was gevlogen... meestal ben ik het eerste wakker.'

'Weet je dan niet waar hij kan zijn?' vraagt Hans.

'Ik ben overal geweest. Zelfs in het ziekenhuis waar jij werkt, omdat hij mij vertelde dat jullie hier gisteravond waren geweest,' wijst Frits naar de ober.

'Ja, dat klopt. We hebben naar jullie gevraagd,' zegt Irma.

'Waar wonen jullie?'

'Willen jullie misschien met me mee om te kijken of

hij soms weer terug is,' zegt Frits dan.

'Ja, laten we dat doen,' zegt Hans terwijl hij afrekent bij de ober en hen voorgaat naar zijn jeep.

Ze rijden naar het fabrieksterrein en gaan de oude loods in. Als ze bij de twee matrassen komen die op de grond liggen, wijst Frits hen op de spullen van Evert.

'Het is niet veel bijzonders. Hij speelt erg goed mondharmonica en ik zorg voor de centen. Ik kocht wat kleren en die rugtas voor hem. Ik durfde hem geen geld te geven, meestal gaan ze er dan mee vandoor,' zegt Frits. Hij is nogal gierig en profiteert meestal van een ander.

Hans pakt de rugtas. Er zit niet veel in, maar dan voelt hij in een van de zijzakken iets hards en haalt er een mondharmonica uit.

'Die heb ik voor hem gekocht,' zegt Frits.

'Vreemd...'

'Wist jij dat je zwager zo goed kon spelen?' vraagt Frits.

'Ja, hij heeft het vroeger van zijn opa geleerd,' antwoordt Hans wat bedroefd.

'We kunnen beter naar de politie gaan en vragen of ze iets ontdekt hebben,' zegt Hans.

'Dat zei die broeder in het ziekenhuis ook al. Het is te hopen dat hij geen gekke dingen uithaalt,' zegt Frits, die Evert de laatste tijd maar vreemd vond.

Zo gaan ze naar het politiebureau. Als ze naar Evert vragen, horen ze van een van de agenten dat er vannacht een verwarde man in de buurt van het station is aangetroffen. Hij was niet erg in orde en zakte steeds in elkaar, later liep hij in de richting van het station, legt de agent uit.

18

Hans en Irma rijden naar het station. Hans zet zijn jeep op het parkeerterrein van het station en loopt samen met Irma naar het perron.

'Wat zoeken we eigenlijk hier?' vraagt Hans.

'Hij is hier gezien door die twee agenten en hij was in de war en niet in orde. Hij zakte midden op straat in elkaar en werd door die agenten weer overeind geholpen. Hij is toen alleen naar het station gelopen,' legt Irma uit.

'Dat heb ik ook wel gehoord, maar gaat er midden in de nacht een trein en stopt die hier?'

'Dan moeten we even naar de tijden op dat bord kijken,' zegt Irma terwijl ze naar het bord loopt waar tijden en plaatsen op staan.

'Ja… kijk, het kan wel. Deze trein stopt hier om vijf uur in de morgen. Hij is hier misschien op een van de bankjes gaan zitten en toen tegen vijf uur in de morgen ingestapt en terug naar Nederland gegaan.'

'Dan hadden ze mij allang gebeld,' zegt Hans terwijl hij om zich heen kijkt.

'Kijk daar heb je een brug, die kun je ook vanuit jullie huis zien,' zegt Hans.

'Dat is een spoorbrug, wat is daarmee?'

'Ik weet het zelf niet… Ik kon vannacht niet slapen en hoorde een trein, die zal dan wel over die brug zijn gegaan,' antwoordt Hans.

''s Nachts als het stil is, hoor ik hem ook wel eens over die brug gaan. Het is niet ver bij ons vandaan.'

'Misschien zat Evert wel in die trein toen ik hem vannacht hoorde…' zegt Hans met een zachte stem.

'Het zou kunnen. Wat ga je nu verder doen?' vraagt Irma.

Hans haalt zijn mobieltje uit zijn zak en toetst het nummer van hem thuis in.

'Ja, met Hans... nee, niet gezien. Hij is waarschijnlijk hier op de trein gestapt. Hij is voor het laatst hier dicht bij het station gezien, volgens de politie. Dus hij is niet bij jullie geweest. Laat pa even navraag doen bij de politie... misschien weten die meer. Ja, ik blijf hier nog wat zoeken en kom dan weer naar huis, dan bel ik jullie wel,' zegt Hans en drukt zijn mobieltje uit.

'Dus hij is niet bij jullie thuis?' vraagt Irma.

'Nee, dat verwachtte ik ook niet. Het zou kunnen zijn dat ze hem ergens gezien hadden, want hij was erg in de war en lichamelijk zwak volgens de politie.'

'Ze hadden het ook over een man. Hier heb ik het adres dat die agent mij gaf,' zegt Irma terwijl ze het briefje uit haar tas haalt.

'Daar had ik niet meer aan gedacht. Laten we er even heen gaan. Het is hier dicht bij het station,' zegt Irma terwijl ze het perron aflopen.

'Oké, je hebt gelijk... misschien weet die man meer van hem.'

Ze lopen naar het huizenblok dat achter het station staat.

'Dat nummer moeten we hebben,' zegt Irma terwijl ze op het briefje kijkt.

Ze bellen aan. Het duurt even voor er open wordt gedaan, dan verschijnt er een wat oudere man in een overhemd met korte mouwen.

'Goedemorgen, moeten jullie bij mij zijn?' vraagt de man.

'Ja, wij zoeken iemand,' antwoordt Irma in het Duits.

'Jullie zoeken iemand... toch zeker niet mij?'

'Nee, heeft u vannacht een man hier op straat gezien en de politie gebeld?'

'Komen jullie daarvoor... ja, die man liep daar... het was vannacht weer zo warm. Dus ging ik uit bed om even voor het open raam te staan en zag hem lopen... nou lopen... hij wankelde en zakte in elkaar. Ik heb de politie gebeld toen ik zag dat hij mij bekend voorkwam.'

'Dus u herkende hem?'

'Hij is hier maanden geleden door een paar jongens het ziekenhuis in geslagen. Toen ben ik er ook op afgegaan en heb ik de politie gebeld. Volgens mij was het dezelfde man. Hij was niet in orde. Later is hij naar het station gelopen. Hij wilde niet mee met de politie,' legt de man uit.

Hans haalt het rijbewijs van Evert uit zijn zak en laat de man de foto zien die op het rijbewijs staat.

De man bekijkt de foto.

'Ja... dat is hem... zoeken jullie hem?'

'Ja, het is mijn zwager,' antwoordt Hans terwijl hij het rijbewijs van Evert weer terug in zijn zak stopt.

'Hij zal wel op de trein zijn gestapt,' zegt de man.

'Heeft u dat niet gezien?'

'Nee, ik ben weer naar boven gegaan, het was midden in de nacht. Hij zal de eerste de beste trein wel ingestapt zijn. Wat moest die zwager van u hier doen?' vraagt de man.

'Dat weten wij ook niet.'

'Goed... bedankt. We gaan weer verder zoeken,' zegt Irma.

'Bent u al bij de politie geweest? O ja natuurlijk, die hebben mijn adres aan u gegeven. Ze schreven het op voor het geval ik moest getuigen tegen de jongens die je zwager in elkaar sloegen.'

'In ieder geval nog bedankt meneer.'

'Niks te danken. Het is te hopen dat hij weer terechtkomt. Hij was erg in de war en zwak. Had ik hem maar binnen gelaten, maar hij wilde per se naar het station. Daar zal hij wel op de trein zijn gestapt.'

'Dat zou kunnen,' zegt Irma terwijl ze Hans aankijkt, die ongeduldig wordt en begrijpt dat deze man hen toch niet kan helpen.

Ze gaan terug naar het station en kijken rond bij de

mensen die op de trein staan te wachten.

'Laten we maar teruggaan naar de stad,' zegt Irma als ze niks bijzonders kunnen ontdekken.

'Je hebt gelijk. Hier vinden wij hem niet,' zegt Hans wat moeilijk.

Als ze in de jeep zitten, start Hans de motor van de jeep en kijkt hij strak voor zich uit.

'Gaat het Hans?'

'Ja...'

'Wat is er dan?'

'Ach niks, laat maar.'

'Vertel... je maakt je zorgen, heb ik gelijk?'

'Nou ja...'

'Je moet nu flink zijn, Hans.'

'Het is allemaal zo erg... mijn zus en de kleine Tanja. Hoe moet het verder met hen. Ik maak mij zorgen om mijn zus en het kind,' zegt Hans dan verdrietig.

Dan legt Irma haar hand op de zijne. Hans voelt haar warme hand en durft haar niet aan te kijken. Hij wordt warm vanbinnen, ondanks het verdriet.

'Hans, je moet niet te veel piekeren. Misschien is hij wel onderweg naar je zus en...' verder komt Irma niet.

'Wat is er?' vraagt Hans als hij ziet dat ze haar zakdoek pakt en haar tranen wegveegt.

'Ach niks.'

'Toch wel, Irma. Is het mijn schuld?'

'Nee, dat niet.'

'Waarom huil je dan?'

'Dat weet ik zelf ook niet... het komt allemaal, nou ja...'

'Zeg het dan,' houdt Hans vol.

Ze kijkt Hans aan met haar betraande ogen en zegt met een zachte stem: 'Hans...' Verder komt ze niet. Hij neemt haar in zijn armen, zoent haar tranen weg en fluistert steeds opnieuw: 'Mijn lieve Irma... ik houd zo veel van jou...

je mag niet verdrietig zijn om mij...'

'Jawel... ik wil niet dat je verdrietig bent om hen... je moet flink zijn, Hans... wat er ook is gebeurd... ik houd ook veel van jou, Hans.'

Dan kijken ze elkaar aan en zegt Hans: 'Daar had ik alleen maar op gehoopt... jij van mij houden... Irma, je bent zo knap en lief en ik ben een gewone Hollandse boer.'

'Toch ben jij mijn lieve Hans. Er brandde al een vonkje in mij toen ik je voor het eerst ontmoette,' zegt Irma terwijl ze hem nu zoent.

'Bij mij is die vonk een vlam geworden. Het lijkt allemaal op een droom voor mij. Jij van mij houden... nee.'

'Toch wel jongen. Toen ik jou daar zo verdrietig zag zitten terwijl je vertelde over je zus en de kleine Tanja. Toen werd het mij ineens te veel. Het was of ik je wilde troosten, maar ik durfde het haast niet. Ik wist niet of je wel van mij hield. Je vertelde over je eerste liefde. Je zei toen dat je daar nog zo'n pijn van hebt en dat je daarom nooit meer aan een meisje wilde denken. Toen wist ik al dat ik van je hield, maar je durfde niet meer van een meisje te houden. Kun je dat nu wel, Hans?'

Hans geeft geen antwoord, start de motor van zijn jeep opnieuw en rijdt het parkeerterrein af. Dan zegt hij met een zachte stem: 'Waar kan ik rustig met jou praten?'

'Waarom, Hans?'

'Ik vind het hier niet prettig, zo midden op een parkeerterrein met al die mensen die uit en in hun auto stappen.'

'Schaam jij je voor onze liefde of vind je het nog moeilijk om een ander meisje lief te hebben?

'Ik weet het niet. Het is zo'n warboel in mijn hoofd...'

'Dus toch... je kunt niet echt van mij houden?' vraagt Irma.

'Laten we naar een rustige plaats rijden.'

'Goed,' zegt Irma nu wat verdrietig. Ze merkt dat Hans

een strijd voert met zichzelf. Zij heeft vaker een vriendje gehad, maar nooit een type als deze Hollandse jongen die haar hart in vlam zet. Ze weet zeker dat hij de man is waar ze echt van kan houden. Maar liefde kun je niet dwingen en zeker niet bij Hans, die van een meisje houdt dat hij niet vergeten kan. Zal ze dan altijd bij hem op de tweede plaats staan? Of piekert hij over zijn zus en haar kind? Maakt hij zich zorgen over hen en over zijn zwager Evert die spoorloos is?

'Rijd maar naar ons huis, Hans,' zegt Irma met een zachte stem.

Hans knikt en vraagt: 'Wil je dat wel?'

'Waarom niet?'

'Je ouders of de huishoudster zijn er toch.'

'Mijn ouders werken en de huishoudster is al naar huis, ze werkt maar een paar uur bij ons.'

Hans geeft geen antwoord en rijdt even later de grote oprit op en zet zijn jeep naast het grote huis. Hij stapt uit, loopt om de jeep heen en helpt Irma uitstappen. Ze gaan zonder wat tegen elkaar te zeggen naar binnen.

'Wil je wat drinken, Hans?'

'Wat drink jij?'

'Wat fris, of heb je liever koffie?'

'Nee, doe maar hetzelfde.'

Irma schenkt twee glazen fris in en gaat naast hem op de bank zitten. Hans neemt gelijk een slok fris en zegt dan: 'Irma, het is niet eerlijk.'

'Wat is niet eerlijk?'

'Nou ja, dat ik jou laat merken dat ik over mijn zus en haar kind zo inzit, dat jij er ook verdrietig van wordt,' legt Hans uit. Hij denkt dat het allemaal door zijn verdriet komt dat hij wat in de war is en zich heeft laten gaan. Hij houdt van Irma, maar hij is ook angstig als hij aan zijn jeugdliefde denkt. Het ging toen ook zo met Sientje. Hij was zo verliefd op haar...

toen was er die andere jongen waar ze meer van hield. Hij is er nooit echt overheen gekomen. Nu heeft hij dit meisje ontmoet, dat veel knapper is dan Sientje. Hij voelt dat de vonk in zijn hart tot ontbranding is gekomen en zij vertelt hem hetzelfde. Sientje hield ook van hem, dacht hij. Hoe kan ik nu zeker weten dat Irma zoveel van mij houdt als ik van haar houd, dat bestaat gewoon niet, piekert Hans terwijl hij het glas leegdrinkt.

'Zal ik nog een glas voor je inschenken?'

Hans knikt.

Als hij Irma naar de bar in de kamer ziet lopen om een glas voor hem in te schenken, dan weet hij het zeker... dit mag niet. Hij is hier voor zijn zus en haar kind. Het is al erg genoeg en nu gaat hij hier de verliefde jongen uithangen. Nee, dat kan niet.

'Hans, wat heb ik verkeerd gedaan... zeg het mij eerlijk,' zegt Irma terwijl ze het glas voor hem neerzet. Hans geeft geen antwoord en neemt opnieuw een slok fris.

Irma gaat naast hem zitten op de bank, kijkt hem van opzij aan en vraagt weer opnieuw: 'Zeg het dan Hans, waarom ben je zo ineens zo afstandelijk en stil?'

Hans kijkt haar aan. Er staan nu tranen in zijn ogen en hij kan geen woord uitbrengen.

'Wat is er toch met je Hans?' vraagt Irma terwijl ze zijn hoofd in beide handen neemt en zijn tranen wegzoent.

Dan rukt hij zich los, veegt zijn tranen weg, kijkt haar aan en zegt: 'Dit kan ik niet, Irma...'

'Wát kun je niet?'

'Wij samen...'

'Maar ik kan het wel... ik heb het uit je mond gehoord... je hebt gezegd dat je van mij hield, kwam het dan niet echt uit je hart... is er nog steeds die ander. Zal ik dan altijd op de tweede plaats staan... Hans, het is echt voor mij... zeg het dan eerlijk.'

Hans buigt zijn hoofd en zegt met een zachte stem: 'Ik ben zo bang... zij hield ook van mij en heeft mijn leven voor altijd kapotgemaakt... ik kan het gewoon niet...'

'Doe het dan voor mij...'

Maar als je...'

'Nee... er zal nooit een ander zijn. Jij alleen Hans... lieverd... jij bent mijn jongen. Het is echt, geloof mij nou Hans,' smeekt Irma terwijl ze hem omarmt. Dan geeft hij zich over, neemt haar in zijn armen en zoent haar heftig.

Dan laat Irma hem los, kijkt hem aan en vraagt: 'Hans, sta ik dan niet meer op de tweede plaats bij jou? Zul je niet aan haar denken als je mij in je armen hebt?'

'Nee lieverd, die liefde is geblust. Het heeft alleen maar pijn gedaan en ik hoop dat je mij die pijn nooit zult aandoen.'

'Nee, Hans, dat beloof ik je...'

'Dat kun je niet beloven... wij kennen elkaar nog zo kort,' zegt Hans, die nog niet echt gelooft dat dit knappe Duitse meisje zomaar van hem kan houden.

Dan pakt Hans het rijbewijs en het paspoort van Evert en schudt zijn hoofd. Irma, die naast hem zit, vraagt: 'Waarom kijk je naar zijn foto?'

'Omdat het bij mij allemaal zo ongeloofwaardig overkomt.'

'Wat wil je daarmee zeggen?'

'Het is vreselijk wat hij gedaan heeft en dat hij nu niet meer komt opdagen. Zou hij ons... ik bedoel mij, gezien hebben?'

'Je bedoelt dat hij daarom weer op de vlucht is?'

'Het zou kunnen.'

'Nee... dat kan niet, want het kan zijn dat hij je niet eens herkent. Het is een warboel in zijn hoofd. In het ziekenhuis konden wij er ook geen wijs uit worden. Ze wilden hem als er plaats was naar een verpleeghuis brengen, maar dat ging niet, omdat hij geen papieren heeft en dus illegaal in ons land is. Hij is ook een tijdje onder behandeling geweest bij een psychiater in het ziekenhuis. Nooit hebben ze wat uit hem over zijn verleden kunnen krijgen. Hij was stil en vaak angstig. Was hij dat bij jullie thuis ook?'

'Vroeger niet, ik kon goed met hem opschieten. We hebben samen op de boerderij onder het werk veel gesprekken gehad en dat ging vaak over het geloof. Hij begreep veel dingen niet en dat kon je hem ook niet kwalijk nemen. Hij is van huis uit niet gelovig opgevoed.'

'Maar hoe leerde je zus hem dan kennen?'

'Ik denk zomaar. Hij werkte als timmerman op de bouw en was best een nette vent die hard wilde werken. Hij had al snel samen met mijn zus een huis gekocht. Hij was bijna geen avond thuis. Elke avond ging hij bij mensen klussen. Soms kwam hij pas tegen elf uur thuis. Het ging mis toen hij stopte met klussen. Hij ging toen veel bij zijn ouders tv kijken, ontmoette oude vrienden en ging drinken.'

'Maar dat heeft toch allemaal niks met porno te maken?'

'Daar wisten wij ook niks van. Mijn zus leerde hem met de computer omgaan omdat hij voor uitvoerder in de bouw studeerde, zodat hij meer geld kon verdienen. Hij had daar de computer bij nodig en het bleek al snel dat hij er misbruik van maakte.'

'Wist je zus daar helemaal niets van?'

'Nee. Hij bleef wel vaak te lang op en ging regelmatig 's nachts stiekem uit bed als mijn zus sliep. Achteraf bleek dat hij al een tijd verslaafd was aan porno, dat hij via internet bekeek.'

'Als hij die nacht niet door die jongens in elkaar was geslagen, was hij misschien allang weer naar huis gekomen.'

'Het zou kunnen. Jammer dat zoiets hem hier is overkomen.'

'Wat ga je nu doen?'

'Ik bel nog een keer naar huis of ze wat van hem gehoord hebben. Misschien weet de politie in Nederland meer.'

'Het zou kunnen.'

Hans toetst weer het nummer van zijn ouders in en vraagt: 'Is er bij jullie nog niks bekend over Evert?'

'Nee...' zegt zijn moeder door de telefoon.

'Kom je weer naar huis?'

'Misschien morgen. Ik ga nog op een paar plaatsen waar hij wel eens kwam, zoeken.'

'Goed jongen, doe voorzichtig... hoe is het met dat meisje?'

'U bedoelt Irma?'

'Ja...'

'Ik logeer bij hen. Ze zijn heel goed voor mij. Het is hier prachtig.

'Moet Irma niet terug naar Texel, naar haar vriendinnen?'

'Ja, eigenlijk wel...'

'Je mag geen misbruik van haar maken.'

'Zit daar maar niet over in ma. Ik breng haar morgen weer terug naar Texel.'

'Goed jongen en doe voorzichtig in zo'n vreemd land.'

'U hoeft zich geen zorgen over mij te maken. Jullie hebben al zorgen genoeg. Hoe gaat het met Suze en de kleine Tanja?'

'Suze is erg stil. Het gaat zo niet goed. Het is te hopen dat Evert weer boven water komt. Ze voelt zich schuldig, zoals je weet.'

'Dat hoeft niet.'

'Dat praat je niet uit haar hoofd.'

'Doe haar de groeten, als ik meer weet dan bel ik jullie meteen. Veel liefs van Irma en mij,' zegt Hans terwijl hij zijn mobieltje uitdrukt.

Irma en Hans eten nog een paar broodjes en gaan dan een

wandeling maken door het park dat bij het huis van Irma's ouders hoort. Als ze weer terugkomen zegt Hans: 'Het lijkt mij verstandig dat wij tegen de avond nog een keer in die oude fabriekshal gaan kijken.'

'Oké, zullen we dan nu een wandeling gaan maken door de stad? Misschien zien we dan zijn vriend Frits nog en heeft hij hem ontmoet,' zegt Irma.

'Dat lijkt mij een goed idee.'

Ze stappen in de jeep van Hans en rijden naar het grote parkeerterrein in de stad.

'Laten we eerst wat gaan drinken bij hetzelfde restaurant als vanmorgen.'

'Jij wilt zeker die ober daar weer ontmoeten,' lacht Hans.

'Waarom lach je zo gemeen?'

'Knappe vent.'

'Ben je nu al jaloers?'

'Dat zal ik altijd blijven,' lacht Hans.

'Het heeft echt geen zin,' zegt Irma.

Ze gaan op het terras zitten en even later horen ze de stem van de ober.

'Zo, zijn jullie er weer?'

'Ja... heb je vandaag Frits en die ander nog gezien?'

'Nee, Frits heb ik ook niet meer gezien. Hij heeft de rest van de dag denk ik ook vrijgenomen,' antwoordt de jongen.

Ze drinken wat en gaan dan naar het oude fabriekspand. Ze lopen naar binnen en zien dat de matrassen leeg zijn. Hans zoekt op het fabrieksterrein en in de hallen, maar komt niets bijzonders tegen dat te maken heeft met Evert.

'Nee... hij is nergens te bekennen,' zegt Hans.

Dan komen ze Frits tegen met zijn accordeon op zijn rug.

'Is hij weer terug?' vraagt Frits.

'Nee, hij is er niet,' antwoordt Irma.

'Hij is vast terug naar Nederland,' zegt Frits.

'Er is nog niets bekend over hem in Nederland,' zegt Hans.

'Je weet maar nooit. Misschien zit hij wel in Amsterdam op de Dam en speelt hij daar op zijn mondharmonica...'

'Het zou kunnen. De politie zou het melden als ze hem zien. Morgen ga ik weer terug naar Nederland,' zegt Hans. Hij geeft Frits een hand en stapt samen met Irma in de jeep. Daarna rijden ze naar het huis van Irma's ouders, die inmiddels ook thuis zijn.

19

Na het eten gaan ze op het grote terras zitten. Hans is blij dat hij hier in de openlucht met de ouders van Irma zit. Er waait een verkoelend windje na deze warme dag van eind juli.

Dan legt de vader van Irma de krant op tafel, kijkt Hans aan en vraagt: 'Hoe denk je over het verdwijnen van je zwager?'

Hans schrikt van deze vraag. De man kijkt hem zo ernstig aan. Zou hij meer weten? Hij is immers directeur van het ziekenhuis waar Evert was opgenomen. Hij is hier in huis bij een professor van een groot ziekenhuis. Het is nog erger: Zijn dochter en hij houden van elkaar. Hij voelt zich als boerenzoon niet zo op zijn gemak bij deze vraag.

'Weet je waarom ik die vraag stel, Hans?'

'Nee,' antwoordt Hans wat verlegen.

'Ik heb eens wat papieren nagekeken van je zwager. Hij heeft een tijdje in coma gelegen en daarna was hij erg in de war. Hij was na wat oefening alweer snel op de been, alleen zijn hersenen waren ernstig beschadigd. Irma gaf hem spraakles en leerde hem een beetje als mens kennen. Uit alles blijkt dat hij door die klappen en trappen tegen zijn hoofd in de war moet zijn geraakt en niet meer wist wie hij eigenlijk was. Toch kon hij later wat woorden formuleren wat het heden betreft, maar over zijn verleden konden ze niets los krijgen. Of wilde hij dat zelf niet? Ik heb er zelf wat twijfels over.'

'Hoe bedoelt u?'

'De mensen die ik heb gesproken: de artsen, de psychiater en vooral predikant Handel van het ziekenhuis hadden ook hun twijfels over hem.'

'U bedoelt dat hij met opzet zijn verleden niet bloot gaf?'

'Het zou kunnen.'

'Toen ik het verhaal van Irma hoorde, dat hij zijn geheugen kwijt was, kon ik daar ook niet goed mee omgaan,' zegt Hans.

'Vertel mij nog eens hoe je zwager hier terecht is gekomen?'

Hans moet even slikken en neemt een slok wijn uit zijn glas.

Hans neemt opnieuw een paar slokken, zodat hij zich wat meer op zijn gemak voelt.

'U weet dat mijn zwager op de vlucht was?'

'Ja, hij heeft onenigheid met zijn vrouw gehad als ik het goed van jou heb begrepen. Hij had geen papieren op zak. Voor de mensen was hij een vreemdeling zonder papieren, later kwamen ze erachter dat hij een Nederlander moest zijn omdat hij wat woorden sprak door toedoen van Irma,' zegt Irma's vader.

'Volgens mij was hij voor zichzelf op de vlucht.'

'Wat wil je daarmee zeggen?'

'Hij heeft mijn zus behoorlijk toegetakeld en is toen het huis uitgevlucht.'

'Dus het zou kunnen dat hij dacht dat hij gezocht werd.'

'Het zou kunnen,' zucht Hans.

'Hoe zie je dat?'

'Nou ja, hij deed dingen... was bezig met, nou ja... met porno en zo. Mijn zus heeft daar nooit wat van geweten totdat ze er tijdens die bewuste nacht ruzie over kregen,' antwoordt Hans terwijl hij het zweet van zijn voorhoofd afveegt.

'Pa, u moet het Hans niet zo moeilijk maken... dit is privé. U gaat te ver,' zegt Irma. Ze heeft medelijden met Hans, die zich schaamt over zulke dingen. Hij heeft vaak genoeg over porno gelezen, hij weet dat het voor veel mensen verslavend is. Er wordt weinig over gesproken, maar als het in je eigen familie voorkomt, voel je toch schaamte.

'Geloof jij het?'

'Wat?'

'Dat je zwager echt aan porno verslaafd was... of was het misschien de eerste keer. Je zus heeft het nooit eerder van hem opgemerkt.'

'Nee, dat zou ik echt niet weten. In het begin, toen ik het hoorde van mijn zus, had ik er ook moeite mee. Hij was het type er niet voor. Hij was een man die het beste wilde voor zijn vrouw en kind. Zo heb ik hem altijd gekend.'

'Jullie kijken thuis geen tv?'

'Nee, hoezo?' vraagt Hans terwijl hij zijn glas leegdrinkt.

'Je zwager ging bij zijn ouders tv kijken, hij zag er geen kwaad in.'

'Toch wilde hij, toen hij met mijn zus was getrouwd, zelf ook geen tv in huis. Hij ging samen met haar trouw naar de kerk.'

'Toen ging het mis?' vraagt de vader van Irma.

'Hoe bedoelt u?'

'Ik heb het gevoel dat hij veel van uw zus heeft gehouden en al haar normen en waarden heeft aangenomen. Totdat hij de computer leerde kennen en daar zijn kans zag.'

Hans laat zijn hoofd zakken en knikt.

'Laten we het ergens anders over hebben, pa,' zegt Irma, die merkt dat Hans hier liever niet over praat.

'Oké, toch zit daar een verhaal achter en dat zal Hans ook toegeven, of niet?'

'U heeft gelijk... het ging de laatste tijd niet goed met hun huwelijk. Wij wisten er niks van. Alleen dat hij bij zijn ouders tv ging kijken en ook te veel ging drinken. Mijn zus vertelde ons dat later, toen Evert dat vreselijke... nou ja, het is gewoon zo... Hij is voor haar op de vlucht...' geeft Hans toe.

'Denk je ook dat hij hier zijn verleden wilde wegstoppen en niet meer naar huis durfde omdat hij dacht dat hij een moord op zijn geweten had?'

'Het zou kunnen,' geeft Hans toe.

'Volgens mij is hij niet meer in deze stad. Misschien is hij ervandoor gegaan toen hij jou in de stad heeft gezien.'

'Zou hij mij hier gezien hebben?' vraagt Hans.

'Dat zou kunnen. Vind je het zelf niet vreemd? Je komt hier in de stad en je zwager is ineens verdwenen,' zegt Irma's vader terwijl hij Hans aankijkt.

'U kunt wel eens gelijk hebben, daar heb ik ook wel eens aan gedacht,' zegt Hans.

'Toch geloof ik het niet,' zegt Irma.

'Waarom niet?'

'U heeft zelf in het ziekenhuis alles nagekeken.'

'Ja, dat heb ik. Ik geloof niet zo in het verhaal van sommige artsen.'

'Toch wel pa... ik ben met hem beziggeweest. Hij kon bijna geen woord uitbrengen. Hij is een tijd in coma geweest en alles wijst erop dat hij zijn verleden kwijt was,' houdt Irma vol.

'Oké kind, stel je voor dat hij dat tijdelijk heeft gehad en dan toch zijn geheugen terugkrijgt, dat gebeurt wel vaker.'

'Daar geloof ik niet in wat Evert betreft,' zegt Irma.

'Waarom vlucht hij dan uit het ziekenhuis en ging hij als een zwerver leven?'

'Omdat het niet goed zat in zijn hoofd en hij niet normaal kon functioneren.'

'Of hij zocht een dekmantel om zijn verleden te ontlopen, omdat hij er niets meer mee te maken wilde hebben. Er lopen veel zwervers rond die een vreselijk verleden achter de rug hebben, door ruzie, geweld of verslaving. Zij kunnen het leven in de maatschappij niet meer aan en willen eruit stappen.'

'Dat hoeft niet zo te zijn bij mijn zwager,' zegt Hans ernstig.

'Het is niet te hopen. Er zijn tegenwoordig veel zelfdodingen bekend onder deze mensen,' antwoordt Irma's vader.

'Hoe kon hij weten dat ik hier was?'

'Jullie waren samen gezien en je zwager kent mijn dochter vanuit het ziekenhuis. Als hij gehoord heeft dat jij hier was met mijn dochter, dan kan hij twee dingen doen: Het kan zijn dat hij niet weet wie jij bent, of hij kent zijn verleden en is opnieuw op de vlucht,' zegt Irma's vader.

'Pa, u gaat nu zo'n beetje voor inspecteur van politie spelen, die naar misdadigers op zoek is.'

'Jullie zoeken hem toch of heb ik het mis?'

'Dat wel, maar u denkt dat Hans' zwager zich van de domme hield en deed alsof.'

'Het zou kunnen; hij zal de eerste niet zijn. Vind je het zelf ook niet vreemd dat hij verdwenen is toen jullie hier naar hem op zoek waren. Zelfs die zwerver waar hij logeerde vindt het vreemd dat hij midden in de nacht verdween, terwijl jullie de avond daarvoor in de stad navraag naar hem ge-daan hebben,' zegt Irma's vader terwijl hij zijn dochter aankijkt.

Dan is het een tijdje stil, totdat Irma opstaat en naar boven gaat. Hans durft haar niet te volgen. Hij weet dat Irma het moeilijk heeft omdat ze niet in het verhaal van haar vader gelooft.

'Waarom doe je nu zo tegen Irma en waarom maak jij je zo druk over die zaak?' zegt Irma's moeder terwijl ze opstaat en naar haar dochter gaat.

Irma gaat op haar bed liggen en houdt haar handen voor haar gezicht. Haar moeder gaat op de rand van het bed zitten en vraagt: 'Wat is er Irma? Je moet het je niet zo aantrekken. Jij kunt er toch ook niks aan veranderen.'

Dan kijkt Irma haar moeder met betraande ogen aan en zegt: 'Hans heeft het al moeilijk genoeg. Ik ben zo bang dat er iets vreselijks is gebeurd met zijn zwager. Ik heb zijn zus en de kleine Tanja ontmoet... ik moet er niet aan denken dat...'

'Ach, je vader kletst maar wat...'

'Toch kan hij gelijk hebben.'

'Waarom maak jij je er zo druk om?'

'Ik vind het zo erg voor Hans...'

Dan legt haar moeder haar hand op haar arm en vraagt: 'Ben jij verliefd op deze jongen Irma?'

Irma kijkt haar moeder aan, drukt haar moeder tegen zich aan en snikt: 'Ja, ma... ik ben verliefd... wij houden van elkaar...'

'Dat is toch fijn, kind.'

'Ja, maar het is nu allemaal zo moeilijk voor Hans...'

'Misschien komt alles weer in orde en maken jullie je druk om niets.'

'Ik ben zo bang dat pa gelijk heeft... voor Hans en zijn zus met haar kind... ze houden echt van hun man en vader. De kleine Tanja vraagt steeds naar haar vader. Ze heeft haar vader weg zien rennen en is hem achterna gegaan en toen ze terugkwam lag haar moeder bloedend op de vloer. Wij kunnen ons niet voorstellen hoe erg zo iets kan zijn.'

'Natuurlijk is het erg, maar het is toch fijn dat je Hans kunt helpen zoeken naar zijn zwager.'

'Ja mam... maar als hij eens...'

'Ach, hij is gewoon op de vlucht. Het is erg wat hij gedaan heeft. Die porno, daar schaamt hij zich voor en vooral als heel de familie het weet...'

'Dat is wel zo. Toch denk ik dat hij bang is dat hij zijn vrouw vermoord heeft door met een fles op haar hoofd te slaan.'

'Wij weten niet wat er omgaat in zijn hoofd. Het is te hopen dat hij weer snel tevoorschijn komt en terug kan naar zijn vrouw en kind.'

'Ik geloof er niet meer zo in ma.'

'Waar geloof jij niet in?'

'Dat hij terug wil naar zijn vrouw en kind… hij lijdt echt aan een geheugenstoornis. Hij is in de war. Ik heb hem als patient gehad. Het was gewoon zielig.'

'Je bent nog jong en moet nu flink zijn… je houdt immers van Hans?'

'Vinden jullie het goed?'

'Natuurlijk gekkie,' lacht haar moeder terwijl ze de tranen bij haar dochter en zichzelf met haar zakdoek afveegt.

Ze gaan beiden weer naar beneden, dan is er ineens een felle lichtflits en daarachteraan een harde klap.

Irma's vader en Hans komen snel naar binnen. Het begint hard te waaien en dan komt er een stortbui naar beneden. Ze sluiten snel de schuifdeur naar het terras en gaan in de salon zitten.

'Dat is heel onverwachts zeg…'

'Het zag er wel naar uit. Het was vandaag een warme, benauwde dag,' zegt Hans.

Irma en haar moeder gaan bij hen zitten. Het is een tijdje stil als ze opnieuw een lichtflits door het raam zien en er een harde klap volgt. Het gaat steeds harder regenen. Hans denkt aan zijn zwager Evert. Waar zal hij nu met dit weer zitten… vreselijk om zo ver van huis rond te moeten zwerven.

Dan gaat het mobieltje van Hans.

'Zeker mijn ouders… het is te hopen dat Evert thuis is,' zegt Hans terwijl hij zijn mobieltje pakt en zijn naam noemt.

Het is stil… ook Hans geeft geen antwoord. Irma kijkt angstig naar hem, dan hoort ze hem zeggen: 'Ja… ja, ik kom eraan…'

Hij drukt zijn mobieltje uit en schudt zijn hoofd en zegt met een zachte stem: 'Dat kan niet waar zijn… ze zullen het wel mis hebben…'

'Wie was dat?' vraagt Irma angstig.

'De politie… ik moet even langskomen… ze hebben…'
verder komt Hans niet.

'Wat is er Hans?'

'Ze hebben… er is een lichaam aangespoeld aan de rivieroever… ze denken dat hij het is…'

'Weet je het zeker?'

'Nee, ik denk dat het een ander is.'

'Hebben ze dan een foto van je zwager bij de politie?'
vraagt Irma's vader.

'Ja, ze hebben een kopie gemaakt van zijn paspoort en
mijn mobiele nummer opgeschreven.'

'Zal ik met je meegaan?' vraagt Irma. Hans staat op en
knikt.

'Zal ik ook meegaan?' vraagt haar vader.

'Nee… hij zal het wel niet zijn. Ze weten het niet zeker en
willen hebben dat ik zelf kom kijken.'

'Het is te hopen dat het je zwager niet is, jongen,' zegt
Irma's vader terwijl hij hem bij de schouder vasthoudt.

Hans geeft geen antwoord en trekt zijn jack aan. Ook
Irma trekt een jack aan. Als ze de deur uitgaan zien ze
meteen een verblindende lichtflits en volgt er gelijk een
harde klap.

'Dat is dichtbij,' zegt Irma's moeder angstig.

Hans en Irma rennen snel naar de jeep en stappen haastig
in. Hans start de motor van de jeep en rijdt de afrit af, nage-
zwaaid door de ouders van Irma. Ze moeten zacht rijden,
want het is echt noodweer. Er liggen bomen op de weg die
met wortel en al uit de grond zijn gerukt. Ook zijn er bomen
die door de bliksem zijn getroffen.

'Wat een vreselijk weer…' zegt Irma angstig.

Ze moeten vaak stoppen en soms een omweg nemen
omdat er bomen op de weg liggen. Irma kent goed de weg
in het stadje.

Dan komen ze op het parkeerterrein van het politiebureau. Ze stappen snel uit de jeep en rennen naar binnen in verband met de vreselijke wind en regen. Hans meldt zich aan het loket.

Er komt een agent naar hen toe en zegt: 'U moet niet hier zijn... hij ligt voorlopig in het ziekenhuis.'

'Leeft hij dan nog...' vraagt Hans verbaast.

'Nee, helaas niet...'

'Wat moet hij dan in het ziekenhuis doen?'

'Hij ligt daar in het mortuarium.'

'Maar weet u wel zeker dat hij het is?'

'Dit is toch een kopie van zijn paspoort?' vraagt de agent.

'Dus we moeten naar het ziekenhuis?'

'Zal ik met u meegaan?' zegt de agent.

'Ja, u wilt toch weten of hij het wel is,' zegt Irma.

'Daarom vraag ik het ook. Ik rij wel voor jullie uit. Het is nog steeds noodweer.'

Zo rijden ze naar het ziekenhuis. Ze volgen de politieauto die met dit noodweer zijn zwaailichten aanheeft.

Hans is stil en Irma verwacht het ergste. Ze moet denken aan Suze en Tanja. Even later stoppen ze op het grote parkeerterrein van het ziekenhuis en rennen ze snel naar binnen.

De agent loopt voor hen uit en gaat naar de balie. Een broeder komt naar hen toe. Ze moeten even in een wachtkamer zitten.

Even later komen de broeder en de agent hen halen. Ze gaan met een lift naar de kelder van het ziekenhuis. Dan opent de broeder een deur en komen ze in een ruimte waar een soort blikken bedden staan met witte lakens eroverheen. Het is er erg koel.

De broeder gaat hen voor, blijft bij een van de bedden met witte lakens staan en zegt: 'U moet niet schrikken... ik heb begrepen dat het niet zeker is of het familie van u is.'

Hans knikt. De agent staat achter hen, dan haalt de broeder het bovenstuk van het laken omhoog en zien ze een opgeblazen gezicht dat wat verminkt is.

Hans trekt wit weg en draait zich om. De broeder legt het laken weer terug. Irma houdt Hans bij zijn arm vast en vraagt: 'Hans, gaat het?'

'Hij is het... vreselijk... hoe kan dit,' snikt hij.

Irma drukt zijn gezicht tegen haar borst. De broeder geeft een teken dat ze hier beter weg kunnen gaan.

Hans loopt wezenloos naast Irma, die hem bij de arm vasthoudt. Dan komen ze weer boven met de lift en gaan ze naar een kamertje. Ze gaan zitten en krijgen koffie van de broeder die hen daarna alleen laat. De agent vraagt dan: 'Dus u heeft hem herkend?'

Hans houdt zijn hoofd tussen zijn handen, knikt en zegt steeds: 'Waarom... wat is er gebeurd... dit kan niet waar zijn.'

Irma laat haar tranen gaan als ze Hans zo verdrietig ziet. Ze houdt zijn arm vast en vraagt: 'Hans, weet je het wel zeker?'

'Ja... hij heeft een pukkel bij zijn neus en ik herkende gelijk zijn gezicht... hij is het... maar waarom?'

'Hij is vanavond aangespoeld. Een man die zat te vissen heeft hem ontdekt en belde ons.'

'Is het door dit vreselijke weer gebeurd; is hij door die sterke wind of de bliksem getroffen en in de rivier terechtgekomen?' vraagt Hans, die niet aan zelfdoding wil denken.

'Hij is gevonden voor deze bui losbarstte. Hoe hij in de rivier terecht is gekomen, daar hebben wij nog geen antwoord op of u moet het ons geven?'

Hans schudt zijn hoofd en snikt: 'Dit kan niet waar zijn... zo ver gaat Evert niet... er moet een ongeluk of zoiets gebeurd zijn.'

'Dat zullen wij onderzoeken. Kunt u nu meegaan naar ons bureau of komt u liever morgen langs?'

'Dat weet ik niet...hoe moet ik het mijn zus vertellen en zijn dochtertje... dit kan ik niet... nee...'

'Rustig maar, Hans... ik ben er toch ook...' zegt Irma, die hem tegen zich aandrukt en begrijpt dat dit een hele opgave is voor Hans.

'Wij kunnen het ook doorgeven, zodat een politie of een predikant naar uw zus gaat om haar in te lichten als u het liever zelf niet doet,' zegt de agent.

Hans schudt zijn hoofd. 'Nee... voorlopig moeten jullie haar met rust laten... het is al erg genoeg.'

'Wilt u dan meegaan naar ons bureau om wat gegevens in te vullen over uw zwager?' vraagt de agent.

Op het politiebureau worden wat gegevens ingevuld en als aanvulling bij het dossier van Evert gevoegd.

'Na die klappen heeft hij een tijdje in het ziekenhuis gelegen en is hij gevlucht terwijl hij nog niet was genezen?' vraagt de agent.

Hans knikt alleen maar. Irma vertelt wat er allemaal gebeurd is, dat ze naar hem op zoek waren en dat hij in overspannen toestand is weggelopen uit Nederland.

Dan gaan ze weer terug naar het ouderlijk huis van Irma. Hans wordt daar liefdevol opgevangen en krijgt wat rustgevende tabletten. Ze beslissen samen dat ze pas morgenvroeg naar Nederland zullen bellen om voorzichtig Suze in te lichten. Hoe ze dat morgen moeten vertellen, weten ze nog niet.

20

Hans ligt in bed, maar hij kan zijn gedachten niet stilzetten. Rust en slaap kun je niet dwingen en zelfs door slaapmiddelen lukt het vaak nog niet. Steeds is daar dat verminkte gezicht van Evert. De man van zijn zus. Het gezicht was blauw opgezet. Hij kan het niet van zich afzetten. Hij probeert te bidden en te vragen aan de Heere God waarom dit moest gebeuren en waarom bij Evert. Ze hadden het zo goed kunnen hebben. Ach, laat het niet waar zijn, laat het een droom zijn en geen werkelijkheid. Toch is het de werkelijkheid. Hier in Duitsland moest Evert aan een vreselijke dood sterven en niemand kan zeggen waarom en hoe. Zijn lichaam werd door een visser ontdekt toen het aan de rivieroever aanspoelde. Wat is er toch met de wereld aan de hand... waarom hij? Ze zullen er nooit achterkomen.

Heeft hij zelf de dood boven het leven verkozen? Heeft hij rekening gehouden met zijn Schepper die hem geformeerd heeft in zijn moeders buik en op deze aarde heeft gezet? Dan is hij toch het eigendom van die Schepper? Wat kan een mens zover brengen dat hij tegen zijn Schepper ingaat. Is het een schuldgevoel dat zo groot kan zijn dat je een einde aan je leven wilt maken? Omdat je er niet meer mee kunt leven? Zou dat ook bij Evert gebeurd zijn? Evert, die netjes mee ging naar de kerk, als een nette man en vader voor zijn gezin was en dan toch verstrikt raakt in de netten van satan. Alleen omdat hij verslaafd is geraakt aan porno op zijn computer.

Wie durft een oordeel over zo iemand uit te spreken? Hoeveel verslavingen zijn er niet in ons leven. In het begin heb je er nog moeite mee, tot je er in gevangen bent en vast zit in het net van de begeerte. Dan bezwijkt je ziel eronder en kun je het alleen niet meer aan. Je weet dat je verloren bent en het alleen met je Schepper moet uitvechten, maar die Schepper is toch barmhartig en genadig? Ja, zolang je nog om vergeving kunt vragen. Maar als de macht van satan zo groot wordt dat je God niet meer durft aan te roepen in nood en er dan zelf maar een einde aan maakt... nee, nooit... Gaf God toch genade aan Evert? Hij weet het niet meer. Niemand zal hier ooit een antwoord op kunnen geven.

Zo ligt Hans te piekeren in dit vreemde, grote huis. Hij heeft door toedoen van Evert dit meisje leren kennen... Irma... Het geluk ligt weer voor het grijpen. Hij heeft haar lief en zij hem. Moest het zo gebeuren? Nooit zal hij dit vergeten, hij die zijn liefde hier moest vinden. Hoe zal hij zelf hiermee om kunnen gaan, hoe zal zijn zus ermee omgaan? Zij heeft zelf ook al zo'n groot schuld gevoel omdat zij geprobeerd heeft haar man zo te vormen zoals zij dat gewend was van huis uit. Het was een goed voorbeeld waar niets tegenin te brengen was. Ze was eerlijk tegenover Evert, die het ook aannam en God zijn Schepper leerde kennen. Hij heeft er vaak met hem over gesproken als ze samen waren. Hij was een fijne vent om mee om te gaan. Vaak vroeg hij hem of hij nooit tv keek. Nee, daar had hij meestal geen behoefte aan. Dan kwam het gesprek op de tv, die Evert soms wel miste. Doordat hij 's avond veel kluste als timmerman had hij er niet zoveel last van omdat hij toch wel eens bij een ander keek. Dan kwam al snel het gesprek op de computer. Hij verteld hem eerlijk dat hij dan wel eens, net als op de tv, programma's bekeek die niet goed voor hem waren. Hij durfde er niet met zijn vrouw over te praten. Wat wist Hans van zulke programma's. Nee, hij was niet aangesloten op internet, dat vonden hij en zijn ouders niet nodig. Ze waren boer en erg ouderwets zeiden de mensen vaak tegen hem. Het kon hem niet veel schelen en zijn ouders nog minder. Hij heeft zijn klappen als jongen al genoeg moeten incasseren, doordat hij verliefd werd en niet zonder haar liefde kon. Toen hij merkte dat ze met een ander ging, heeft dat hem tot een stugge, eenzame man gemaakt die zijn rust zocht in het boerenleven en de natuur. Gods schepping, waar hij van de vroege morgen tot de late avond van genoot.

Zijn ziel was in het begin gewond en hij heeft er erg lang pijn aan gehad. Het meisje dat hij oprecht liefhad, maar haar liefde aan een ander gaf. Gelukkig kon hij nog bidden en zocht hij vaak in de stilte zijn Schepper, zijn God op, die zo goed voor hem was. In het begin moest hij ook vechten, maar God was sterker dan hij. Hij gaf zich over aan zijn Schepper en bleef die eenzame jongen voor de buitenwereld, maar hij zag steeds meer Gods bedoeling met hem. Soms kon hij zomaar zingen op het land en kon hij bidden om vergeving. Hij was echt geen brave, ook hij had last van zijn zonde en had een schuldgevoel tegenover God. Zonder zonde kan een mens niet leven, dat wist hij heel goed en hij wist ook dat er Een was Die kon vergeven als je erom vroeg. Al was die schuld nog zo groot. Nee, zonder die God wilde hij niet leven. Hij kon immers alles bij Hem kwijt… maar nu… hij is niet op zijn boerderij 's morgens vroeg druk met het boerenleven in de natuur, Gods schepping. Hij was hier in Duitsland, al dagen…

Nu heeft hij een meisje leren kennen dat zijn hart in vuur en vlam heeft gezet. Hij, de boerenjongen uit Holland, verliefd ver weg van huis. Hij die dacht nooit meer van een vrouw te kunnen houden. Toch is het gebeurd… zal het niet weer zo aflopen? Die angst komt vaak nog naar boven. Hij zal dan diezelfde pijn opnieuw mee moeten maken… misschien nog wel erger. Hij heeft Irma oprecht lief. Zelfs nu dat erge is gebeurd, verlangt hij naar haar, dat lieve knappe gezicht en die stem die hij liefheeft. Die liefde is groter dan het verdriet om Evert.

Hans gaat rechtop in bed zitten. Hij knipt het lampje aan en kijkt op zijn horloge. Het is nog geen drie uur in de nacht. Zal iedereen nu rustig slapen, terwijl hij hier klaarwakker ligt? Zal zijn zus deze nacht ook slapen en de kleine Tanja? Zij weten nog van niets. Hij zal morgen dat verschrikkelijke nieuws moeten brengen, kan hij dat wel? Opnieuw ziet hij dat vreselijke gezicht van Evert voor zich. Opnieuw maakt hij het mee en ziet hij dat witte laken omhooggaan, zodat hij dat vreselijke gezicht ziet. Ja, hij wist het zeker, het was Evert. Zijn gezicht was opgezet en blauw. Het was de man van zijn zus. Hij had nog gehoopt dat er een ander onder dat laken lag… Nee, het is de werkelijkheid, hij zal ermee om moeten gaan. Kan hij dat wel? Hij kan ook naar de dominee van hun kerk gaan en hem alles vertellen. Die kan zoiets beter dan hij, die is het gewend.

Hans kan het in zijn bed niet meer uithouden. Hij staat op, loopt naar de wasbak en maakt zijn gezicht nat met koud water. Hij trekt zijn overhemd en broek aan en gaat op de rand van zijn bed zitten. Thuis ging hij meestal naar beneden als hij niet in slaap kon komen. Vooral toen het uit was met Sientje, zijn eerste echte liefde. Hij heeft nachten opgelopen en ook gebeden. Dan liep hij midden in de nacht door het veld. Hier is hij bij vreemde mensen. Opnieuw kijkt hij op zijn horloge. Het is halfvier in de morgen. Hij staat op, loopt naar de deur en gaat de trap af, die bij elke trede kraakt. Als hij beneden is gaat hij op een van de banken in de deftige kamer zitten. Hij, de boer uit Holland, heeft een dochter van een professor… en directeur van een groot ziekenhuis… Wat kan het wonderlijk gaan in het leven. Zelf zou hij hier nooit voor kiezen. Zijn eerste liefde was een boerenmeisje die echt bij hem paste. Toch is Irma hem meer waard, dat weet hij zeker… zij is zijn grote liefde…

Wat doet hij hier in die grote deftige kamer? Als hij nu eens in zijn jeep stapte en een briefje achterliet voor Irma, dan was hij al vroeg in de morgen thuis op de boerderij en

kon hij het vreselijke nieuws kwijt. Zolang hij daarmee rondloopt heeft hij geen rust. Hij kan beter nu meteen gaan. Hij
had gisteravond al moeten gaan, maar hij liet zich ompraten
en kreeg wat rustgevende tabletten.

Dan gaat het licht in de kamer aan en staat Irma in haar
nachtpon in de deuropening. Ze loopt naar hem toe, gaat
zonder wat te zeggen naast hem zitten, geeft hem een zoen
en vraagt: 'Hans, kun je niet slapen jongen?'

Hans schudt zijn hoofd,

'Zal ik wat te drinken voor ons pakken?'

'Ja… ja dat is goed…' antwoordt Hans met een fluister-
stem.

Even later komt Irma met twee glazen fris terug en drinken ze het op.

'Kon jij ook niet in slaap komen?' vraagt Hans.

'Nee, ik wist dat je niet kon slapen.'

'Ja dat is zo… ik kon het in bed niet meer uithouden.'

'Ik hoorde je de trap afgaan.' Dan kijkt hij Irma aan en
zegt: 'Ik had niet naar jou en je ouders moeten luisteren en
gisteravond naar huis moeten gaan.'

'Maar het was nog steeds slecht weer en gevaarlijk op de
weg en je was behoorlijk overstuur.'

'Toch moet ik gaan… ik moet het kwijt… zo ga ik er kapot
aan,' zegt Hans terwijl hij zijn hoofd buigt.

Irma trekt hem naar zich toe en zoent hem.

'Wat houd ik veel van je ondanks al je verdriet…'

Hans kijkt haar aan, drukt haar stevig tegen zich aan en
zoent haar. Hij ziet haar prachtige ogen die hem lief aankijken en haar lange blonde haar waar hij met een van zijn handen doorheen woelt.

Dan laat hij haar los en zegt: 'Ik ben echt van plan om nu
te gaan.'

'Kun je niet nog een paar uur wachten, dan zijn mijn
ouders ook wakker.'

'Nee, ik moet naar huis en met mijn ouders en mijn zus praten... ik kan het niet langer voor mezelf houden...'

'Oké, dan ga ik met je mee.'

'Nee... ik ga alleen.'

'Je gaat niet alleen,' zegt Irma terwijl ze opstaat.

'Je moet het zelf weten.'

'Ik kleed mij om en was mij wat en maak wat broodjes voor ons klaar, dan eten we eerst, oké?'

'Dat is goed...'

Als ze wat broodjes hebben gegeten en koffie hebben gedronken, zodat ze zich wat fitter voelen in de vroege morgen, schrijft Irma een briefje voor haar ouders. Daarna gaan ze naar buiten en stappen in de jeep. Ze rijden snel de snelweg op en zijn al spoedig bij de grensovergang. Er is zo vroeg bijna geen verkeer op de weg.

Na een paar uur rijden ze het erf van de boerderij op. Hans' ouders zijn al druk bezig.

Als hij uitstapt, komt zijn moeder naar buiten en vraagt gelijk: 'Wat is er gebeurd... je bent al zo vroeg hier!'

Zonder wat te zeggen neemt hij zijn moeder in zijn armen en snikt: 'Het is zo erg, ma.'

'Is Evert... leeft hij niet meer?'

'Nee, ma...'

'Rustig maar jongen. Suze en Tanja zijn nog boven... zal ik het hun vertellen?'

Hans kijkt zijn moeder aan. Hij ziet dat er tranen in haar ogen staan en zegt: 'Nee, ma, zo laf wil ik niet zijn. Ik ben hier gekomen om het haar te vertellen en zo zou Evert het ook gewild hebben.'

'Heb je Evert nog gesproken voor hij stierf?'

'Nee ma... hij is... ze hebben hem gevonden aan de kant van een rivier. Verder weten we niks.'

'Heeft hij zichzelf...?'

'Dat weten wij niet. De politie zou het verder uitzoeken. We weten alleen dat hij de laatste tijd erg in de war was.'

'Ja dat is zo… komen jullie maar naar binnen… jullie zullen wel wat willen eten en drinken na zo'n lange reis.'

Dan gaan ze naar binnen. Zijn vader merkt ook dat het fout zit als hij het gezicht van zijn vrouw ziet en vraagt: 'Is het mis met Evert?'

'Ja, pa… ze hebben hem gevonden… hij is aangespoeld bij een rivier,' zegt Hans terwijl hij zijn vader aan de arm vasthoudt en zich even laat gaan.

'Dat moet vreselijk voor Suze en Tanja zijn,' zegt zijn vader terwijl hij zijn zoon met natte ogen aankijkt.

Dan is er een stem die vraagt: 'Wat is er vreselijk voor mij?'

Ze kijken allemaal naar de deuropening waar Suze staat. Ze laat haar hoofd hangen, dan loopt Irma naar haar toe, omarmt haar en snikt: 'Evert… het is heel erg… hij is…'

'Is hij…?'

Irma knikt.

Dan gaat ook Hans naar zijn zus en neemt haar in zijn armen. Hij ziet dat ze wit wegtrekt en voelt dat ze in elkaar zakt in zijn armen.

Hij tilt haar op en legt haar op de bank. Haar moeder komt snel met een nat washandje en maakt haar voorhoofd nat. Even later opent ze haar ogen en kijkt haar broer aan en vraagt: 'Is hij erg ziek geweest?'

'Nee… hij is…' Hans kijkt Irma aan alsof hij wil zeggen: help me.

Irma gaat op haar knieën voor de bank zitten en houdt haar hand vast en zegt met een zachte stem: 'Ze hebben Evert gevonden… hij is aangespoeld… hij… verder komt ze niet. Ze drukt haar gezicht tegen dat van Suze aan en hun tranen vermengen zich.

Dan horen ze het snikken van Suze: 'Evert… het is allemaal

mijn schuld... Evert, waarom kwam je niet bij mij terug... waarom heb ik je zo laten gaan... o Evert... waarom Evert...'

Dan is daar de kleine Tanja die naar beneden is gekomen. 'Wat is er mama... is papa weer boos? Wil hij niet bij ons komen wonen?'

'Nee, lieverd... nee... papa komt nooit meer terug,' snikt Suze terwijl ze de kleine Tanja in haar armen neemt.

Dan kijkt de kleine Tanja naar Irma en vraagt: 'Blijft papa altijd bij jou in dat verre land?'

Irma neemt haar op haar arm en zegt: 'Papa is zo ziek geweest... hij is... hij...' Irma kan het woord gestorven niet uit haar mond krijgen. Ze drukt het kind tegen zich aan en zegt met een zachte stem: 'Jouw papa is naar de Heere Jezus... vind jij dat erg... ja, hè?'

'Maar waarom komt hij niet naar ons... naar mama en mij?'

'Jouw papa was daar te ziek voor,' antwoordt Irma.

Suze staat op en gaat zonder wat te zeggen naar boven.

'Houd jij haar in de gaten, ma,' zegt Hans.

'Ik ga wel bij haar kijken. Zorgen jullie maar voor Tanja...'

'Ga je mee wat eten... wij komen helemaal uit Duitsland en gaan nu wat eten. Jij ook?' vraagt Irma, die nog steeds Tanja op haar arm heeft.

Een kind is snel afgeleid en zeker met zo'n lieve tante. Ze gaat erbij aan de tafel zitten en stelt allemaal vragen over haar vader, terwijl ze af en toe moet huilen. Toch kan Irma met veel liefde goed met dit kind overweg en heeft ze snel haar vertrouwen gewonnen.

Het is alweer een jaar geleden dat Evert op een vreselijke manier aan zijn einde is gekomen. Met Suze gaat het niet goed. Ze heeft er een groot schuldcomplex aan overgehouden en voelt zich verantwoordelijk voor de dood van haar man. Ze vindt dat ze hem het geloof en alles wat daarbij hoort, had opgedrongen. Ze is dan ook een gevaar voor zichzelf geworden en heeft al een paar keer een overdosis medicijnen ingenomen. Suze is daarom opgenomen in een kliniek waar ze haar op het rechte spoor proberen te krijgen. Ze heeft geen zin meer in dit leven en er valt niet met haar te praten. Ze wil zelfs haar eigen dochtertje niet meer zien. Tanja is inmiddels zes jaar geworden en is een stil kind. Ze is niet alleen haar vader verloren, maar nu ook haar moeder, omdat zij haar afstoot. Suze zit onder zware medicijnen en leeft vaak in een roes. Ze kan de werkelijkheid van dit leven niet meer aan.

Hans en Irma zijn inmiddels getrouwd en wonen op de boerderij bij de ouders van Hans. Ook de kleine Tanja is bij hen. Ze beschouwt Hans en Irma als haar vader en moeder, al zegt ze oom en tante tegen hen.

Irma werkt een paar dagen in een ziekenhuis dicht bij huis en de andere dagen helpt ze Hans op de boerderij. Ze moest wel wennen aan het leven op de boerderij. Ze moest kiezen. Hans is niet weg te denken van het bedrijf en hij wilde zijn ouders niet alleen laten op de boerderij. Op een avond na het eten, vraagt Irma: 'Heb je zin om wat te gaan wandelen?'

'Wandelen?' vraagt Hans verbaasd.

'Ja wandelen, vind je dat gek?'

'Ik loop hier de hele dag te wandelen om de boerderij,' lacht Hans.

'Kom op, dan gaan we... als je geen zin heb, dan ga ik alleen.'

'O wat fijn dat ik met je mee mag,' lacht Hans.

'Mag ik ook mee?' vraagt Tanja gelijk.

Dan kijkt Irma moeilijk. Ze is als een moeder voor haar en zegt dan: 'Het is al laat... ik breng jou eerst naar bed en lees jou voor uit dat spannende boekje over die dolfijn. Je weet wel over Dolfi en dan mag jij morgen mee naar het Dolfinarium.'

'Laat dat kind toch meegaan,' zegt Hans.

'Nee, ze mag morgenmiddag met mij mee. Ze heeft dan vrij van school. Het is dan woensdag, dan gaan wij naar het dolfinarium. Ze hoort graag de verhalen over Dolfi en Wolfi en dan kan ze ook eens een echte dolfijn zien. Ja toch, Tanja?'

'Ja... zal hij dan ook piepen en is Wolfi daar dan ook?'

'Nee Wolfi niet, maar wel veel Dolfi's. De hele familie van Dolfi is daar,' lacht Irma.

'Kom, dan breng ik je naar bed en lees ik je voor.'

Als Irma even later naar beneden komt zegt ze vrolijk: 'Kom boer, we gaan wandelen.'

'Komen jullie voor de koffie terug?' vraagt moeder.

'Ik en wandelen, de boeren in de omtrek zullen het wel vreemd vinden,' lacht Hans.

'Niks boeren, we gaan door ons eigen veld de weilanden door.'

'Zoals u wilt, doktertje.'

'Oké, dan gaan we maar.'

Als ze in het vrije veld lopen en aan de rand van het bos komen, gaat Irma op een boomstam zitten. Hans gaat naast haar zitten en zegt: 'We lijken wel een verliefd paartje.'

'Zijn we dat dan niet?'

'Nou ja...'

Dan kijkt Irma hem aan, omhelst hem, zoent hem en fluistert: 'Je wordt papa...'

'Hè... ik...?'

'Ja jij...'

'Weet je het zeker?'

'Ik ben vanmorgen naar de arts geweest in het ziekenhuis en die heeft mij onderzocht.'

Dan neemt hij Irma in zijn armen en springt met haar in het rond van blijdschap.

'Voorzichtig… doe nou niet te wild en denk aan je vrouw en kind, boer,' gilt Irma het uit.

'Jij lieverd… mijn lieve vrouwtje en moedertje, wat zal Tanja het leuk vinden… zeg, mag ik het thuis vertellen?'

'Ja… nu jij het weet mag iedereen het weten en morgen vertel ik het wel aan Tanja. Zij is immers ook een beetje ons kind zolang haar moeder zo blijft.'

'Dan krijgt Tanja er een broertje of een zusje bij,' lacht Hans vrolijk.

Dan gaan ze terug naar de boerderij waar ze de koffiegeur al ruiken en vertellen ze het grote nieuws. De ouders zijn blij met hun kinderen en wensen hun Gods zegen toe, want dit is immers ook een wonder van God, Die de Bestuurder is van de dood, maar ook van het leven. ✿